NOVE NOITES

BERNARDO CARVALHO

Nove noites

Romance

9ª reimpressão

Copyright © 2002 by Bernardo Carvalho

Grafia atualizada segundo o Acordo Ortográfico da Língua Portuguesa de 1990, que entrou em vigor no Brasil em 2009.

Capa
Alceu Chiesorin Nunes

Foto da capa
Fábio Teixeira de Carvalho/ Arquivo pessoal

Preparação
Márcia Copola

Revisão
Ana Maria Barbosa
Renato Potenza Rodrigues

Atualização ortográfica
Thaís Totino Richter

Dados Internacionais de Catalogação na Publicação (CIP)
(Câmara Brasileira do Livro, SP, Brasil)

Carvalho, Bernardo
    Nove noites : romance / Bernardo Carvalho. —1ª ed. — São Paulo :
Companhia das Letras, 2002.

    ISBN 978-85-359-2670-5

    1. Romance brasileiro I. Título.

02-4953   CDD-869.935

Índices para catálogo sistemático:
1. Romances : Século 20 : Literatura brasileira   869.935
2. Século 20 : Romances : Literatura brasileira   869.935

[2021]
Todos os direitos desta edição reservados à
EDITORA SCHWARCZ S.A.
Rua Bandeira Paulista, 702, cj. 32
04532-002 — São Paulo — SP
Telefone: (11) 3707-3500
www.companhiadasletras.com.br
www.blogdacompanhia.com.br
facebook.com/companhiadasletras
instagram.com/companhiadasletras
twitter.com/cialetras

À memória de Fábio T. Carvalho
e a Mariza Corrêa

1. *Isto é para quando você vier. É preciso estar preparado. Alguém terá que preveni-lo. Vai entrar numa terra em que a verdade e a mentira não têm mais os sentidos que o trouxeram até aqui. Pergunte aos índios. Qualquer coisa. O que primeiro lhe passar pela cabeça. E amanhã, ao acordar, faça de novo a mesma pergunta. E depois de amanhã, mais uma vez. Sempre a mesma pergunta. E a cada dia receberá uma resposta diferente. A verdade está perdida entre todas as contradições e os disparates. Quando vier à procura do que o passado enterrou, é preciso saber que estará às portas de uma terra em que a memória não pode ser exumada, pois o segredo, sendo o único bem que se leva para o túmulo, é também a única herança que se deixa aos que ficam, como você e eu, à espera de um sentido, nem que seja pela suposição do mistério, para acabar morrendo de curiosidade. Virá escorado em fatos que até então terão lhe parecido incontestáveis. Que o antropólogo americano Buell Quain, meu amigo, morreu na noite de 2 de agosto de 1939, aos vinte e sete anos. Que se matou sem explicações aparentes, num ato intempestivo e de uma violência assustadora. Que se maltratou, a*

despeito das súplicas dos dois índios que o acompanhavam na sua última jornada de volta da aldeia para Carolina e que fugiram apavorados diante do horror e do sangue. Que se cortou e se enforcou. Que deixou cartas impressionantes mas que nada explicam. Que foi chamado de infeliz e tresloucado em relatos que eu mesmo tive a infelicidade de ajudar a redigir para evitar o inquérito. Passei anos à sua espera, seja você quem for, contando apenas com o que eu sabia e mais ninguém, mas já não posso contar com a sorte e deixar desaparecer comigo o que confiei à memória. Também não posso confiar a mãos alheias o que lhe pertence e durante todos estes anos de tristezas e desilusões guardei a sete chaves, à sua espera. Me perdoe. Não posso me arriscar. Já não estou em condições ou idade de desafiar a morte. Amanhã pego a balsa de volta para Carolina. Mas antes deixo este testamento para quando você vier e deparar com a incerteza mais absoluta.

Seja bem-vindo. Vão lhe dizer que tudo foi muito abrupto e inesperado. Que o suicídio pegou todo mundo de surpresa. Vão lhe dizer muitas coisas. Sei o que espera de mim. E o que deve estar pensando. Mas não me peça o que nunca me deram, o preto no branco, a hora certa. Terá que contar apenas com o imponderável e a precariedade do que agora lhe conto, assim como tive de contar com o relato dos índios e a incerteza das traduções do professor Pessoa. As histórias dependem antes de tudo da confiança de quem as ouve, e da capacidade de interpretá-las. E quando vier você estará desconfiado. O dr. Buell, à sua maneira, também era incrédulo. Resistiu o quanto pôde. Precisamos de razões para acreditar. Estarei abusando da sua paciência e boa vontade, seja você quem for, se lembrar que morremos todos? Me lembro do dia em que ele chegou à cidade que chamou de morta nas cartas, em março de 1939, desconfiado como você agora, a primeira vez que o vi. Todos conheciam o ronco do hidroavião da Condor quando se aproximava da cidade, anunciando a sua chegada. Ninguém mais nos visitava. Muita gente cor-

reu para o rio. Eu estava ocupado com uma obra, mas ainda pude vislumbrar no chão da casa sem teto a sombra do avião, que sobrevoava as mangueiras a caminho do rio. Terminei o serviço e desci até o porto. Ele posava para o fotógrafo que o representante da agência Condor havia contratado para registrar o acontecimento e que, com a câmera sobre um tripé, fixava para sempre nas suas chapas a chegada do ilustre etnólogo, ao lado dos índios e do piloto, todos de pé sobre a asa do avião. Sua vinda provocou uma sensação que cinco meses depois todos já tinham esquecido, se é isso que você quer saber. Nós nos acostumamos muito depressa com o extraordinário. Só eu guardo a memória dele. Mas naquele dia nem eu nem ninguém podíamos imaginar o que recebíamos. Veio com um chapéu branco, como se fosse o capitão de um navio, camisa branca, bombachas e botas. Nem eu nem ninguém podíamos ver nada por trás da elegância tão altiva e imprópria para o lugar e a ocasião, ainda mais para quem agora olha retrospectivamente. Ninguém podia prever a desgraça que em menos de cinco meses lhe arrancaria a vida. Me aproximei da cena a que a cidade assistia muda, sem entender a missão que recebia e que nenhuma alma humana seria capaz de recusar. Eu fui essa alma. O representante da Condor nos apresentou, mas o etnólogo não me viu. Apertou a minha mão como a de qualquer outro e sorriu, sorria para todos, mas não notou a minha presença. Mal ouviu o meu nome. Se o tivesse entendido, teria na certa caçoado, porque apesar de tudo não lhe faltava humor. O meu nome é motivo de chacota fora daqui. E ele tinha acabado de chegar. Só mais tarde é que entenderia as circunstâncias e as vantagens de ter um aliado em mim. Só então aceitaria a minha amizade, à falta de outra. Posso ser um humilde sertanejo, amigo dos índios, mas tive educação e não sou tolo. Não guardo rancor de ninguém, muito menos do dr. Buell, meu amigo, a despeito de tudo o que possa ter pensado ou escrito e a que só tive acesso pela incerteza das traduções do professor Pessoa a procurar nos papéis do morto uma explicação que eu mesmo fiz o que pude para esconder. Era preciso que ninguém achasse um sentido. É preciso não deixar os mortos tomarem conta dos que ficaram. Desde o início, embora não pudesse prever a tragédia, fui o único a ver nos olhos dele o desespero que tentava dissimular mas nem sempre conseguia, e cuja razão, que cheguei a intuir antes mesmo que ela me fosse revelada, preferi ignorar, ou fingir que ignorava, nem que fosse só para aliviá-lo. Acho que assim eu o ajudei como pude. Tendo presenciado os poucos momentos em que não conseguiu se conter, eu sabia, e o meu silêncio era para ele a prova da minha amizade. Assim são os homens. Ou você acha que quando nos olhamos não reconhecemos no próximo o que em nós mesmos tentamos esconder? Não há nada mais valioso do que a confiança de um amigo. Por isso aprecio os índios, com os quais convivo desde criança, desde o tempo em que o meu avô os amansou. Sempre os recebi na minha casa. Sempre soube o que diziam de mim pelas costas, que me consideravam um pouco louco, aliás como a todos os brancos. Mas a mim importava apenas que pudessem contar comigo. E que soubessem que eu não esperava nada em troca. De mim teriam tudo o que pedissem, e Deus sabe que seus pedidos não têm fim. Fiz tudo o que pude por eles. E também pelo dr. Buell. Dei a ele o mesmo que aos índios. A mesma amizade. Porque, como os índios, ele estava só e desamparado. E, a despeito do que pensou ou escreveu, não passava de um menino. Podia ser meu filho. Nada me abalou tanto. Nem mesmo quando fui destituído das funções de encarregado do posto indígena Manoel da Nóbrega pelo sr. Cildo Meireles, inspetor do Serviço de Proteção aos Índios, três anos depois da tragédia, quando ele me recomendou que dali em diante eu deixasse o meu coração a cinco léguas de distância do posto e me afastasse para sempre dos índios — não queria me ver pela frente. Nem mesmo a humilhação de ter sido dispensado do cargo que ocupei por pouco mais de um ano e que o próprio dr. Buell tinha me ajudado a conquistar em defesa dos índios, graças às cartas de recomendação que *enviou ao Rio de Janeiro. E nem mesmo o massacre da aldeia de Cabeceira Grossa, que o dr. Buell talvez tivesse podido impedir se ainda estivesse vivo e entre eles quando os fazendeiros prepararam a emboscada um ano depois do seu suicídio. Nada me entristeceu tanto quanto o fim do meu amigo, cuja memória decidi honrar. Eu o acolhi quando chegou. Nada do que tenha pensado ou escrito pode me causar rancor, nunca esperei nada em troca, porque sei que, no fundo, fui a última pessoa com quem ele pôde contar.*

Saí da casa sem teto ao cair da tarde, quando uma nuvem de morcegos também saiu do tronco oco de uma mangueira e se canalizou pelas ruas, numa enxurrada, em vôo rasante e cego, a ignorar bicicletas e pedestres, que também os ignoravam naquela cidade morta, como ele a descreveu, se formos confiar nas traduções do professor Pessoa. Posso ser ignorante, mas nunca fui supersticioso. Podia ter visto um sinal de mau agouro na nuvem de pequenos vampiros que o recebiam. Mas tudo o que vi foram os seus olhos quando cheguei ao rio, a expressão que assumiam, por distração e cansaço, entre uma fotografia e outra, quando se esquecia de que também o olhavam. Queria partir para a aldeia. Estava exausto. Queria ficar longe dos olhares. Só você poderia ter me dito o que ele veio fazer aqui, se veio realmente para morrer, como acabei suspeitando ao receber a notícia do suicídio. Faz anos que o espero, em vão.

No dia 9 de agosto daquele ano, cinco meses depois de ele ter chegado a Carolina, uma comitiva de vinte índios entrou na cidade no final da tarde. Traziam a triste notícia e, na bagagem, os objetos de uso pessoal do dr. Buell, que eu mesmo recebi e contei, com lágrimas nos olhos: dois livros de música, uma Bíblia, um par de sapatos, um par de chinelos, três pijamas, seis camisas, duas gravatas, uma capa preta, uma toalha, quatro lenços, dois pares de meias, um suspensório, dois ternos de brim, dois ternos de casimira, duas cuecas e um envelope com fotografias. O seu retrato não estava entre elas. Havia a foto de uma casa de madeira na praia; havia os retratos dos negros do Pacífico Sul, que lhe contaram lendas e canções; havia retratos dos Trumai do alto Xingu, mas não havia nenhuma foto de família, nem do pai, nem da mãe, nem da irmã, nem de nenhuma mulher. É possível que tivesse queimado esses retratos junto com as outras cartas que recebera antes de se matar. Os índios não tocaram em nada. Foram à minha casa sem parar nem falar com ninguém pelo caminho — estavam com medo, achavam que pudessem ser incriminados —, o que não impediu que a notícia logo se espalhasse, e em pouco tempo uma pequena multidão de curiosos cercava a minha modesta morada. Mandei chamar o professor Pessoa às pressas, que depois de ler uma das cartas deixadas pelo infeliz, em inglês, acalmou os índios e garantiu a todos que eles não tinham nenhuma responsabilidade na trágica ocorrência. Ele deixou cartas para os Estados Unidos, para o Rio de Janeiro, para Mato Grosso e duas para Carolina, uma para o capitão Ângelo Sampaio, delegado de polícia, e a outra para mim.

Desde então eu o esperei, seja você quem for. Sabia que viria em busca do que era seu, a carta que ele lhe escrevera antes de se matar e que, por segurança, me desculpe, guardei comigo, desconfiado, já que não podia compreender o que ali estava escrito — embora suspeitasse — nem correr o risco de pedir ao professor Pessoa que me traduzisse aquelas linhas. Foi a única que não remeti ao Rio de Janeiro. Hoje, mal se passaram seis anos da morte do dr. Buell, e o próprio professor já se diz etnólogo e se autoproclama estudioso dos Krahô, como se nunca tivesse passado nenhum etnólogo por Carolina, como se bastasse a sua autodeterminação para se equiparar ao homem que o ignorou e de quem ele diz também já não se lembrar, pois só a lembrança já lhe faria sombra e daria os parâmetros que lhe faltam para reconhecer a própria mediocridade e ignorância. Posso ser um simples sertanejo, mas não sou tolo. Dos envelopes fechados, aquele era o único cujo destinatário, até onde eu sabia, não era da família do dr. Buell nem tampouco outro antropó-

logo ou missionário. Peço que me entenda. Eram tempos difíceis. Tudo o que fiz foi por amizade, para protegê-lo. Você não pode imaginar, seja lá quem for. As cartas seguiam para o Rio de Janeiro antes de serem remetidas aos Estados Unidos. Nada me garantia que não fossem abertas e lidas, como fizeram as autoridades maranhenses ao submetê-las ao professor Pessoa em busca de uma explicação, ou que não se extraviassem. Ainda mais se fosse instaurado o inquérito. Guardei comigo esta única carta, para protegê-lo, e aos índios. Jurei que ninguém além de você poria os olhos nela. Mandei-lhe um bilhete no lugar da carta, um bilhete cifrado, é verdade, em código, que o professor Pessoa me ajudou a redigir em inglês, sem saber a quem me dirigia ou com que objetivo, pensando que se tratava de um parente do morto, uma vez que anteriormente já lhe pedira ajuda para escrever uma carta de pêsames que decidira enviar à mãe. Nunca pude me certificar de que você tenha recebido esse bilhete, ou que o tenha compreendido, já que não veio atrás do que lhe pertencia. Faz anos que o espero, mas já não posso me arriscar ou desafiar a morte. Este mês começam as chuvas. Amanhã pego a balsa de volta para Carolina, mas antes deixo este testamento para quando você vier.

2. Ninguém nunca me perguntou. E por isso também nunca precisei responder. Não posso dizer que nunca tivesse ouvido falar nele, mas a verdade é que não fazia a menor ideia de quem ele era até ler o nome de Buell Quain pela primeira vez num artigo de jornal, na manhã de 12 de maio de 2001, um sábado, quase sessenta e dois anos depois da sua morte às vésperas da Segunda Guerra. O artigo saiu meses antes de outra guerra ser deflagrada. Hoje as guerras parecem mais pontuais, quando no fundo são permanentes. Li várias vezes o mesmo parágrafo e repeti o nome em voz alta para me certificar de que não estava sonhando, até enten-

der — ou confirmar, já não sei — que o tinha ouvido antes. O artigo tratava das cartas de outro antropólogo, que também havia morrido entre os índios do Brasil, em circunstâncias ainda hoje debatidas pela academia, e citava de passagem, em uma única frase, por analogia, o caso de "Buell Quain, que se suicidou entre os índios krahô, em agosto de 1939".

Procurei a antropóloga que havia escrito o artigo. A princípio, foi seca no telefone. Deve ter achado estranho que alguém lhe telefonasse por causa de um detalhe do texto, mas não disse nada. Trocamos alguns e-mails, que serviram como uma aproximação gradual. Preferia não me encontrar pessoalmente. Queria ter certeza de que os meus objetivos não eram acadêmicos. Mas mesmo se de início chegou a desconfiar do meu interesse por aquele homem, não perguntou as minhas verdadeiras intenções. Ou, pelo menos, não insistiu em saber as minhas razões. Supôs que eu quisesse escrever um romance, que meu interesse fosse literário, e eu não a contrariei. A história era realmente incrível. Aos poucos, conforme me embrenhava naquele caso com as minhas perguntas, passou a achar natural a curiosidade que eu demonstrava pelo etnólogo suicida. Talvez por discrição e por sentir que, de alguma forma e por uma experiência que ela não teria podido conceber, eu também havia intuído naquele caso algo que mais tarde ela própria me revelaria ter suspeitado desde sempre, quando por fim nos encontramos e ela me fez a pergunta. Foi ela quem me indicou as primeiras pistas.

Os papéis estão espalhados em arquivos no Brasil e nos Estados Unidos. Fiz algumas viagens, alguns contatos, e aos poucos fui montando um quebra-cabeça e criando a imagem de quem eu procurava. Muita gente me ajudou. Nada dependeu de mim, mas de uma combinação de acasos e esforços que teve início no dia em que li, para o meu espanto, o artigo da antropóloga no jornal e, ao pronunciar aquele nome em voz alta, ouvi-o pela primeira vez na minha própria voz.

Buell Quain se matou na noite de 2 de agosto de 1939 — no mesmo dia em que Albert Einstein enviou ao presidente Roosevelt a carta histórica em que alertava sobre a possibilidade da bomba atômica, três semanas antes da assinatura do pacto de não agressão entre Hitler e Stalin, o sinal verde para o início da Segunda Guerra e, para muitos, uma das maiores desilusões políticas do século xx. Topei com uma referência à carta de Einstein, por mera coincidência, logo que comecei a vasculhar a morte de Quain. Ele não chegou a ver nada. O mundo dele não foi o meu. Não viu a guerra, não viu a bomba — ainda que, na loucura final das suas observações sobre os Krahô, e com base nas lembranças das revistas científicas que lia na adolescência, tenha tentado aplicar "os mesmos princípios matemáticos que governam os fenômenos atômicos" aos fenômenos sociais, detectando nos índios "síndromes de comportamento cultural" análogas às leis da física. Tinha um fascínio quase adolescente pela ciência e pela tecnologia. Não podia ter pensado que quanto mais o homem tenta escapar da morte mais se aproxima da autodestruição, não podia lhe passar pela cabeça que talvez fosse esse o desígnio oculto e traiçoeiro da ciência, sua contrapartida, embora muito do que observou entre os índios e associou por intuição à sua própria experiência pudesse tê-lo levado a alguma coisa muito próxima dessa conclusão. Quando se matou, tentava voltar a pé da aldeia de Cabeceira Grossa para Carolina, na fronteira do Maranhão com o que na época ainda fazia parte de Goiás e hoje pertence ao estado do Tocantins. Tinha vinte e sete anos. Deixou pelo menos sete cartas, que escreveu, aos prantos, nas últimas horas que precederam o suicídio. Queria deixar o mundo em ordem, a julgar pelo conteúdo das quatro a que tive acesso, endereçadas a sua orientadora, Ruth Benedict, da Universidade de Columbia, em Nova

York; a dona Heloísa Alberto Torres, diretora do Museu Nacional, no Rio de Janeiro; a Manoel Perna, um engenheiro de Carolina de quem se tornara amigo, e ao capitão Ângelo Sampaio, delegado de polícia da cidade. Queria isentar os índios de qualquer culpa, constituir seus executores testamentários e instruí-los sobre a disposição de seus bens. São cartas em que dá instruções aos vivos sobre como proceder depois da sua morte. Entre as que não consegui encontrar, no entanto, sei que havia pelo menos uma endereçada ao pai médico, dr. Eric P. Quain, recém-divorciado e hospedado no Annex Hotel, em Bismarck, na Dakota do Norte; outra ao reverendo Thomas Young, missionário americano instalado com a mulher em Taunay, em Mato Grosso, e uma terceira ao cunhado Charles C. Kaiser, marido de sua irmã, Marion. E nessas é muito possível que não tenha deixado apenas instruções.

Quain chegou ao Brasil em fevereiro de 1938. Desembarcou no Rio de Janeiro às vésperas do Carnaval. Foi morar numa pensão da Lapa, reduto de todos os vícios, da malandragem e da prostituição. Um ano e cinco meses depois estava morto. Ao receberem a notícia, alguns colegas da Universidade de Columbia, em Nova York, chegaram a especular que a sua vinda ao Brasil já fizesse parte de um processo suicida deliberado, outros suspeitaram que tivesse sido assassinado. Viera em princípio com o propósito de estudar os índios karajá, na mesma expedição que acabou sendo realizada por outro antropólogo de Columbia, William Lipkind, e sua mulher. Quain mudou de planos ao chegar ao Rio. Os inacessíveis índios trumai, do rio Coliseu, no alto Xingu, estavam em vias de extinção e representavam um desafio muito maior que os conhecidos e aculturados Karajá, um desafio cujas consequências o jovem etnólogo, intrépido e ambicioso, não podia prever ou aquilatar ao transformá-los no objeto da sua vã obstinação. Sua expedição solitária aos Trumai ao longo de 1938 foi marcada por percalços, imprevistos, frustrações e contrariedades, que terminaram com a interrupção da sua pesquisa de campo, a indisposição com os órgãos governamentais do Estado Novo e a volta forçada ao Rio de Janeiro, em fevereiro de 1939. Um golpe que abalou ainda mais o seu já instável estado de espírito.

Seu retorno contrariado à capital coincidiu com a chegada ao Brasil de um colega da Universidade de Columbia, Charles Wagley, que vinha de navio dos Estados Unidos para estudar os Tapirapé, e também com a passagem de Ruth Landes pela cidade — a jovem antropóloga de Nova York estava no país havia meses com o objetivo de estudar os negros e o candomblé da Bahia. Os três eram alunos diletos de Ruth Benedict, uma das principais representantes da corrente antropológica que ficou conhecida por associar Cultura e Personalidade, na tentativa de explicar o comportamento pela inserção social e assim relativizar os conceitos de normalidade e anormalidade no que diz respeito aos indivíduos. Em meados dos anos 30, na esteira do New Deal, o Departamento de Antropologia da Universidade de Columbia, dirigido por Franz Boas, acolheu estudantes atraídos por um pensamento liberal que se propunha a cortar cientificamente as raízes dos preconceitos sociais. Depoimentos de alunos e colegas atribuem a Benedict uma preferência por estudantes em desacordo com o mundo a que pertenciam e de alguma forma desajustados em relação ao padrão da cultura americana. É possível que reconhecesse neles algo de si mesma, e os protegesse.

Ao receber a notícia do suicídio do aluno, recém-isolada na fronteira do Canadá, na região das montanhas Rochosas, para onde havia se recolhido, dando início a seu ano sabático, Benedict esboçou uma carta à mãe de Quain: "Minha secretária acaba de me telegrafar, e em meio à minha própria dor só consigo pensar na senhora. Ele foi um filho que sempre a preocupou. É desolador. De todos os meus alunos, guardo no coração o lugar mais caloroso para Buell, e neste momento só consigo pensar na perda pessoal e chorar o seu sofrimento, cujos motivos ainda não conhecemos. Nunca esquecerei a sua dedicação ao trabalho e fico contente de poder, ao publicá-lo, ajudar a pô-lo na vanguarda da pesquisa de campo. Ele realizou muita coisa, e eu acredito que, no íntimo, ainda quisesse realizar muito mais. Estou paralisada pela dor. Que Deus possa confortá-la no seu sofrimento".

Buell Quain foi aceito na pós-graduação do Departamento de Antropologia de Columbia depois de se formar em zoologia, em 1934, pela Universidade de Wisconsin, em Madison. Durante seus anos de bacharel, também se interessou por vários outros assuntos, a começar por literatura e música. No prefácio do livro *The flight of the chiefs*, que o jovem etnólogo de Columbia escreveu com a transcrição das lendas e canções que havia coletado numa aldeia de Vanua Levu, nas ilhas Fiji, no Pacífico Sul, ao longo do seu primeiro trabalho de campo, quando tinha apenas vinte e quatro anos, e que foi publicado em 1942, após a morte dele, seu antigo professor de inglês em Madison, William Ellery Leonard, autor de uma versão em inglês do poema épico babilônico *Gilgamesh*, cujo tema da amizade, da morte e da busca de imortalidade atraiu em especial a atenção de Buell nos anos de faculdade, exalta o espírito aventureiro e faz o inventário das viagens do ex-aluno pelo mundo, ao mesmo tempo que lamenta a sua morte prematura no interior do Brasil. Ao terminar o ginásio, aos dezesseis anos, Buell já tinha atravessado os Estados Unidos de carro. Em 1929, antes de entrar para a universidade, passou seis meses na Europa e no Oriente Médio, percorrendo Egito, Síria e Palestina. Nas férias do ano seguinte, foi para a Rússia. Depois de prestar os exames, em fevereiro de 1931, embarcou numa viagem de seis meses, como marinheiro, num vapor para Xangai. Em 1935, estava em Nova York, e no ano seguinte, em Fiji. Numa carta à mãe de Buell, meses depois da morte do etnólogo, Heloísa Alberto Torres se dizia espantada com tanta coisa feita em tão pouco tempo: "Era tão moço e tinha visto tanto. Que vida extraordinária!".

O mais incrível, nos nascimentos, é a euforia cega com que os pais encobrem o risco e a imponderabilidade do que acabaram de criar, a esperança com que o recebem e que os faz transformar em augúrio promissor a incapacidade de prever o futuro que ali se anuncia e a impotência de todas as medidas de precaução nesse sentido. Se assim não fosse, é bem provável que o ser humano já tivesse desaparecido da face da Terra, pelas mãos de mães zelosas e assassinas. Buell Halvor Quain nasceu em 31 de maio de 1912, às 11h53 da noite, no hospital de Bismarck, capital da Dakota do Norte. A certidão de nascimento diz que foram tomadas as devidas precauções contra oftalmia neonatal, àquela altura um procedimento de praxe contra a transmissão de doenças venéreas aos recém-nascidos. Quase cinco anos depois do suicídio, numa carta de 31 de maio de 1944, dia do aniversário dele, sua mãe escreveu a Heloísa Alberto Torres: "Faz trinta e dois anos esta noite que ele nasceu. Em pequeno, sempre respondia às pessoas que lhe perguntavam quando tinha nascido: 'A dez minutos de junho'. Há cinco anos, ele me escreveu de Carolina a última carta de aniversário".

Eric P. Quain, o pai de Buell, tinha quarenta e um anos quando o filho nasceu. Era médico e cirurgião. Nascido na Suécia, foi um pioneiro da medicina no Meio-Oeste. Formou-se em 1898 e levou métodos cirúrgicos modernos para Bismarck, além do primeiro aparelho de raios X. A clínica que fundou em 1907 ainda é um dos principais centros hospitalares da região e só muito recentemente deixou de se chamar Quain and Ramstad Clinic.

Fannie Dunn Quain tinha trinta e oito anos. Foi o seu terceiro parto, o segundo bem-sucedido. O casal já tinha uma filha, Marion. Fannie era médica, como o marido, formada também em

1898, pela Universidade de Michigan, em Ann Arbor. Foi a primeira mulher da Dakota do Norte a obter um diploma em medicina. Ao se casar, em 25 de março de 1903, abandonou a profissão e passou a cuidar da casa. Durante toda a vida, porém, teve participação ativa no serviço público, especialmente nas questões filantrópicas relacionadas à saúde e à educação. Era membro do conselho de educadores do Ginásio de Bismarck quando Buell nasceu, militou pela implantação de um sanatório para tuberculosos no estado e participou da convenção do Partido Democrata em 1936.

Fannie e Eric Quain se separaram pouco antes do suicídio do filho. Aparentemente inconformado com a morte de Buell — a despeito do que depois revelaria a filha Marion a Ruth Benedict, numa carta estranha e cheia de amargura —, o pai lançou mão de seus conhecimentos e apelou a um influente senador da Dakota do Norte, Gerald Nye, para que entrasse com um pedido de investigação junto ao Departamento de Estado. O processo não foi adiante, uma vez constatadas as provas irrefutáveis do suicídio.

Depois da morte do filho, Eric Quain se mudou para a costa oeste, para onde também costumava ir a família da filha, pelo menos durante as festas de fim de ano, embora haja indícios de que pai e filha não se dessem bem. Casou-se de novo e continuou exercendo a medicina até a sua morte, em Salem, Oregon, em 1962. Fannie Quain tentou vencer a solidão, as lembranças do filho e a dificuldade de viver "entre as coisas que ele trouxera para casa de vários cantos do mundo". No início, procurou ficar longe de casa para não ter de conviver com o silêncio eloquente desses objetos, a começar pelo piano, que era "a coisa de que ele mais gostava e agora está calado". Em 1939, esteve com a filha em Chicago e no Oregon, onde passou o Natal perto do monte Hood, nos arredores de Portland. Visitou parentes na Califórnia. Mas, sobretudo, imbuiu-se de uma missão, empenhando-se, com o auxílio de Ruth Benedict e do fundo deixado por Buell, na publicação das notas que ele tomara em Fiji (além de *Flight of the chiefs*, foi publicado, em 1948, com o título *Fijian village*, outro relato sobre os dez meses que ele passara, entre 1935 e 1936, entre os indígenas de Vanua Levu). Também estudou linguística para poder preparar os manuscritos que o filho havia elaborado sobre a língua dos Krahô. Em sua correspondência com Heloísa Alberto Torres, dá para notar que era uma mulher aflita. Descontando-se a dificuldade do momento, em que de repente se viu sozinha no mundo, recém-divorciada e com o filho morto, há nessas cartas uma estranha ansiedade, como se, mais do que querer saber a razão do suicídio do filho, temesse que alguém já a conhecesse ou viesse a descobri-la. Morreu em 1950, aos setenta e seis anos.

Dois meses antes de se matar, o antropólogo mencionou em suas cartas "questões familiares" que o obrigavam a interromper o trabalho com os índios e voltar aos Estados Unidos. A dona Heloísa, ele escreveu em 5 de junho de 1939: "Os dois contos que a senhora mandou podem tornar possível o meu retorno a Nova York pela Bahia ou por Belém. Por mais que quisesse voltar ao Rio de Janeiro, questões familiares exigem a minha presença nos Estados Unidos. Eu havia mencionado alguma coisa sobre doença na família, mas também não é isso que me preocupa. Meus pais acabam de passar por um processo de divórcio que durou seis meses. Estão com quase setenta anos, e se odiaram por trinta anos ou mais. Meu pai sofre de uma forma atenuada de degenerescência senil — talvez seja o que o tenha levado a escarafunchar o passado nos últimos seis meses. A senhora pode me achar materialista ao extremo, mas tenho que voltar à América na esperança de salvar uma pequena propriedade e pô-la a serviço da etnologia. Temo, entretanto, que seja tarde demais".

Heloísa Alberto Torres era uma senhora ativa e poderosa. Era gorda e muito pálida, com os cabelos tingidos de azul, segundo descrição de Alfred Métraux, antropólogo franco-suíço especialista em América Latina e com algumas passagens pelo Brasil. Devia ter sido uma mulher interessante na juventude. Vinha de uma família da alta burguesia fluminense. Sempre conviveu com o poder. Como diretora do Museu Nacional, soube manter sua influência e assegurar o seu cargo durante todo o Estado Novo. Era a principal responsável pelos quatro jovens antropólogos americanos que àquela altura trabalhavam no Brasil, graças a um acordo entre a Universidade de Columbia e o Museu Nacional — além do próprio Quain, estavam no país os seus colegas Charles Wagley e Ruth Landes, e William Lipkind, com quem originalmente ele deveria ter seguido na expedição karajá. Entre as cartas que Buell Quain escreveu nas horas que precederam o seu suicídio, uma era endereçada a dona Heloísa. Até então ela agira como uma espécie de mãe protetora, e às vezes dominadora, em relação aos jovens etnólogos de Columbia. Não é difícil imaginar o que deve ter sentido ao receber aquela carta:

"Prezada dona Heloísa,

"Estou morrendo de uma doença contagiosa. A senhora receberá esta carta depois da minha morte. A carta deve ser desinfetada. Pedi que as minhas notas e o gravador (me desculpe, sem nenhuma gravação) fossem enviados ao Museu. Por favor, remeta as notas para Columbia.

"Não pense o pior de mim. Apreciei a sua amizade. Mas não posso terminar o catálogo da coleção que os índios vão encaixotar e lhe enviar. Pedi que dois contos lhe fossem remetidos por conta do meu fracasso. No entanto, se a senhora receber alguma peça da coleção, por favor, lembre-se dos índios e mande o que achar adequado para Manoel Perna, de Carolina.

"Espero que Lipkind e Wagley cumpram com as suas expectativas.

"Sinceramente,
"Buell Quain"

Chamavam-se João e Ismael. Os dois índios que o acompanhavam, dois rapazes que ele havia arregimentado para guiá-lo ao sair da aldeia no dia 31 de julho, contaram a Manoel Perna, o engenheiro de Carolina e único amigo do etnólogo na cidade, que com o cair da tarde do segundo dia de caminhada, ainda com cerca de noventa quilômetros de marcha pela frente, segundo a versão oficial, Quain Buele, como eles o chamavam na língua dos brancos, ou ainda Cãmtwỳon, como o tinham batizado na língua krahô, quis pernoitar perto de um brejo, pediu para parar, disse que estava cansado e não podia prosseguir. Segundo os índios, o etnólogo não mostrava nenhum sintoma de doença física. A prostração era psicológica e já se prolongava por dias, desde que recebera a última correspondência de casa.

Na carta que mandou para dona Heloísa, em 12 de agosto de 1939, para confirmar o telegrama que já lhe enviara na véspera com a notícia do suicídio de Quain, Manoel Perna escreve a propósito do antropólogo: "É lamentável que o seu desaparecimento tenha sido de um modo tão doloroso. Ainda ignoramos os motivos que o levaram a tal atitude. Mas, segundo notícias colhidas de fontes que reputamos certas, podemos adiantar que tenha sido por questões familiares. Segundo relataram os índios, ultimamente, quando recebera cartas de seus pais e família, mostrara-se muito contrariado, dizendo mesmo que as notícias recebidas não haviam sido nada agradáveis, tendo em seguida dilacerado as missivas e queimado".

3. *Isto é para quando você vier. Foram apenas nove noites. Se agi como se ignorasse os motivos que o levaram ao suicídio foi para evitar o inquérito. A polícia tomou conhecimento do caso e fez o inventário dos fatos e do espólio a pedido dos americanos. Não me julgue mal. Não teria podido responder a nada. O silêncio foi um peso que carreguei durante anos, enquanto estive à sua espera. Já não posso me arriscar a que tudo desapareça comigo. É claro que, se eu soubesse do conteúdo das cartas que ele recebeu antes de se matar, não teria mandado meu irmão à aldeia só para lhe entregar as missivas que chegaram no início de julho, quando o dr. Buell já havia partido de volta para os índios, semanas depois de sua segunda passagem por Carolina, quando esteve na cidade para recolher dinheiro e mantimentos mas, sobretudo, embora não tenha me dito, porque temia passar o aniversário sozinho na aldeia. Teria ido eu mesmo, se soubesse que, entre aquelas cartas, eu lhe enviava a sentença de morte, teria ido sozinho e a pé se fosse preciso, para trazê-lo de volta em segurança para a cidade. Ele me fizera prometer que lhe remeteria as cartas por um portador assim que chegassem. Esperava uma resposta. E já não tenho dúvidas de que era sua a resposta que ele aguardava com tanta ansiedade. Peço que me desculpe. Sei que o deixei com a dúvida, mas posso lhe garantir que ele a recebeu. Antes de entregá-los ao meu irmão, li entre os envelopes do último correio, que chegou no início de julho pelo avião da Condor, o nome de um remetente que depois eu iria reconhecer entre os destinatários das cartas que ele escreveu nas horas que antecederam a sua morte, justamente aquela carta entre todas as outras que decidi guardar comigo, a despeito do que você possa pensar, em nome da memória do dr. Buell, e para proteger os*

índios, a carta que ele lhe deixara. Os índios disseram que ele passou a viver num estado de absorção terrível depois de receber a última correspondência que eu havia mandado pelo meu irmão, um retraimento desconhecido durante a sua vida pregressa na aldeia. Foram as cartas que ele queimou na sua última jornada de volta a Carolina e com as quais obteve o fogo e a luz de que precisava para escrever as que deixou, chorando copiosamente, antes de se suicidar no meio da noite. Da sua carta, todavia, ninguém nunca soube nada. Quando ele decidiu que não podia mais ficar na aldeia e comunicou aos índios a sua decisão ("Já pedi às nuvens que me tirem daqui e nada aconteceu", ele teria dito a uma índia, mas não lhe peço que acredite em mais nada — a verdade depende apenas da confiança de quem ouve), alegou ter recebido más notícias de casa. Para uns, disse que o pai tinha abandonado a sua mãe, idosa e sem recursos — mas, se já havia me falado daquilo da última vez que estivera em Carolina, não podia ser essa a má notícia que o deixara naquele estado. Para outros, disse que a mulher o traíra com o irmão dele — mas eu sabia muito bem que não havia irmão nenhum. Não falou aos índios sobre nenhuma doença. Não queria assustá-los. Preferiu reservar aos brancos o motivo da doença contagiosa, pedindo que desinfetassem as cartas antes de lê-las. Foi ao menos a razão que deu a dona Heloísa e, pelo que eu soube, também a sua professora nos Estados Unidos. Foi a razão que deu a mim na carta que me endereçou, sabendo que eu me calaria. Ninguém além de mim nunca soube da carta que ele lhe deixou. Estive à sua espera por todos estes anos. Ao peso do silêncio veio somar-se o da culpa. Mas naquele momento não tive escolha. Em alguns dias tudo já tinha sido esquecido e a cidade voltava à calma habitual. É incrível pensar que os mesmos homens que, ao saberem da chegada do etnólogo americano cinco meses antes, logo o assediaram e mandaram convidar para a festa de fundação da Casa Humberto de Campos, a que chamavam Academia Sertaneja de

Letras, agora mal se lembravam do seu nome ou de sua passagem pela cidade. Os ilustres de Carolina. Quem sou eu para dizer o que penso? Acham que sou ignorante, mas não sou tolo. Se é para deixá-los felizes, presto-lhes as reverências que me pedem. O homem que chegou naquela tarde modorrenta de março era um homem atormentado. Na véspera de sua partida para a aldeia, ele estava apreensivo. E já não sei se era por não saber o que o esperava ou justamente por saber. Às vezes, me pergunto em que momento ele passou a imaginar o que ninguém ali seria capaz de imaginar, e até que ponto não teria vindo para morrer. O fato é que compareceu à festa dos intelectuais. Estava com uma expressão perturbada, constrangido pela pequena multidão. Toda a cidade havia sido convocada para ouvir os discursos da festa de inauguração da sociedade literária. Ele não podia me ver entre a massa apinhada no interior e em volta do prédio da escola, espremendo-se pelas portas e nas janelas, tentando ouvir, sem compreender, o que se dizia lá dentro. Mas foi ali, pela segunda vez, que eu vi os olhos dele.

4. Ninguém nunca me perguntou, e por isso também não precisei responder. Todo mundo quer saber o que sabem os suicidas. No início, deixei-me levar pela suposição fácil de que aquela só podia ter sido uma morte passional e concentrei a minha busca nesses vestígios. Devia haver outra pessoa envolvida. Ninguém pode estar totalmente só no mundo. Tinha que haver uma carta em que ele revelasse os seus desejos e sentimentos. Na manhã de 8 de março de 1939, enquanto esperava as mulas e os mantimentos para a caminhada de seis dias até a aldeia de Cabeceira Grossa, Quain aproveitou para pôr em dia a correspondência, sentado à máquina de escrever. Pretendia isolar-se na aldeia por um período inicial de três meses. Não podia contar com a eventual ida de um mensageiro ou portador nesse meio-tempo. Não pensava em voltar a Carolina antes de junho. Li três dessas cartas. A mais longa era endereçada a Ruth Landes, sua colega de Columbia que estava no Brasil estudando o candomblé. Nas outras duas, ele se dirigia a dona Heloísa e à assistente dela, Maria Júlia Pourchet, que conhecera ao passar pelo Rio de Janeiro. Na carta para a diretora do Museu Nacional, Quain tratava de questões práticas, de seu registro junto à polícia de São Luís, de remessas de dinheiro e dos gastos com os presentes para os índios. A Maria Júlia Pourchet, ele descrevia, com mesuras, as primeiras impressões de Carolina.

Eu não soube da existência dessa carta até me aconselharem a procurar uma professora de antropologia da Universidade de São Paulo cuja tia, também antropóloga e falecida, teria visitado a mãe de Quain, nos Estados Unidos, em 1940, pouco depois da morte do etnólogo. Consegui o telefone e liguei para a professora, que embora ignorasse uma suposta visita da tia a Fannie Quain logo depois do suicídio do filho, não hesitou em me revelar o que eu mal podia supor e o que mais queria saber quando lhe falei pela primeira vez de Buell Quain e do motivo do meu telefonema. "Ele teve um flerte com mamãe, muito antes de eu nascer, é claro", ela disse, assim que ouviu aquele nome peculiar.

A resposta me deixou mudo, ainda mais porque àquela altura eu vinha tentando descobrir, em vão, o nome de uma eventual mulher do jovem antropólogo, desde que havia batido com os olhos numa carta em que ele solicitava ao presidente do Conselho de Fiscalização das Expedições Artísticas e Científicas no Brasil a autorização para a sua pesquisa de campo, ao chegar ao país, em fevereiro de 1938, e na qual se apresentava como "casado", embora não houvesse nenhum outro indício ou referência a mulher alguma em nenhum outro documento ou correspondência anterior ou posterior à sua morte.

Fiquei sem ação por um instante. "Mas ele era casado!", arrisquei. Ao que a professora replicou, entre ofendida e indignada: "Não, não era. Não era assim que ele se apresentava à sociedade do Rio de Janeiro. E não foi assim que se apresentou à minha mãe".

Eu achava que uma história de amor explicaria tudo. Marcamos um encontro na universidade, onde ela me confirmou o que já havia dito no telefone e, antes que eu pudesse tocar na carta, fez questão de lê-la em voz alta, em inglês, intercalando a leitura de pausas e entonações para assinalar, enquanto olhava para mim e arqueava as sobrancelhas, coisas que a ela pareciam significativas e a mim não diziam nada:

"Prezada dona Júlia,

"Este é apenas um bilhete. Parto nas próximas duas horas para a aldeia krahô. Estamos esperando algumas calças e camisas. Eu e um grupo de índios krahô que estava em Carolina quando cheguei. As calças e camisas são para eles. Não gosto de lhes dar roupas, pois ficam bem melhor sem elas — mas eles insistem.

"Ontem à noite, fui a uma festa em homenagem a Humberto de Campos. Houve uns dez breves discursos sobre sua vida e sua obra. Fiquei espantado com o interesse que o povo de Carolina demonstra por tópicos literários. As pessoas se aglomeravam nas portas e se amontoavam nas janelas para ouvir o que era dito. Só entendi metade, mas fiquei impressionado pelo sério interesse da audiência."

A professora também me mostrou a reprodução de um retrato de Quain que eu já conhecia dos arquivos de Heloísa Alberto Torres e cuja cópia ele teria dado de presente à mãe dela. Na foto, ele está de frente para a câmera, sentado numa cadeira, de camisa branca. Tem uma expressão irônica e desafiadora. "Há uma dedicatória no verso do original. Nada que pudesse revelar o flerte, é claro. Naquele tempo, era assim que eles diziam. Mamãe falava muito dele. Era um homem muito bonito, alto, moreno, um tipo diferente do americano normal. Quando se despediram, antes de tomar o avião, ele garantiu a ela que ia pensar no assunto. Você sabe o que eu quero dizer, não é? Ia pensar seriamente na possibilidade de um compromisso", ela disse, ainda sem me deixar tocar na carta.

A professora não podia suspeitar o que tinha me deixado tão ávido por uma cópia do documento e com um sorriso irrequieto nos lábios desde que ela começara a ler. É que, se por um lado o "bilhete" era para mim uma decepção — ao contrário do que ela tentava me fazer acreditar, não provava nenhuma história amorosa —, por outro eu acabava de descobrir quem era a dona Júlia de que ele falava numa outra carta escrita na mesma manhã, antes de partir para a aldeia, enquanto esperava as mulas e os mantimentos, e cuja cópia uma pesquisadora canadense me havia gentilmente cedido cerca de um mês antes. Na carta a Ruth Landes, os mesmos fatos narrados a Maria Júlia Pourchet eram vistos com outros olhos, e sobretudo com outras palavras, mais sarcásticas, mais verdadeiras e mais honestas, com a intimidade, a cumplicidade e o desespero de quem se abre com uma amiga:

"Querida Ruth,

"Carolina é um lugar tedioso — analfabetos e intelectuais. Os intelectuais são os que usam ternos brancos e gravatas e pertencem a uma sociedade literária. Me juntei a eles numa reunião para homenagear Humberto de Campos, grande poeta do Maranhão. Havia dez oradores: a vida do poeta em dez partes. Entre elas: Humberto, o moralista; Humberto, o humanitário; Humberto, o humorista, e finalmente Humberto, o filósofo. Tudo isso podia ser muito simpático se não fosse pela pompa ridícula. E por fim foi um tanto decepcionante ouvir um jovem advogado do Rio de Janeiro (provavelmente formado no Rio ou algo assim; acho que ele é do Norte) dizer que 'não se pode falar de Humberto enquanto filósofo sem lembrar que ele era um grande sofredor. Humberto, o sofredor...'. E aí revela-se que ele era um estoico, pois sorria o tempo todo. Este último orador foi aclamado como o melhor de todos.

"Encontrei um grupo de índios krahô e eles parecem pavorosamente obtusos. Têm cortes de cabelo engraçados, furam as orelhas e continuam sem usar roupas nas cidades.

"Há um monte de coisas sobre os brasileiros e as cidades brasileiras que me dão vontade de tirar a roupa e me masturbar em praça pública. Mas tento me controlar. Seriamente, não dá para ser honesto nem mesmo com pessoas do tipo relativamente sofisticado, como dona Júlia. E estou furioso com você por ter falado tanto de mim para ela."

O que Buell Quain queria tanto esconder?

5. O professor Luiz de Castro Faria me recebeu em Niterói no final da tarde. Eu voltava dos arquivos de Heloísa Alberto Torres em Itaboraí. Fazia um calor de matar. Castro Faria é uma das últimas pessoas vivas que conheceram Quain em sua passagem pelo Brasil. Conversamos na biblioteca do seu apartamento em Icaraí. Em 1938, aos vinte e quatro anos, ele participou, como antropólogo do Museu Nacional e membro do Conselho de Fiscalização, da histórica expedição à serra do Norte que levou Lévi-Strauss por Mato Grosso até Porto Velho, entre 6 de junho e 14 de dezembro, e está em grande parte documentada em *Tristes trópicos*, que logo se tornou um clássico da antropologia. O Estado Novo exigia a presença de um cientista brasileiro nas expedições estrangeiras como uma forma de controle, figura que o próprio Lévi-Strauss definiu, com alguma antipatia, como um "inspetor fiscal". Há uma foto, de 1939, em que dona Heloísa aparece sentada no centro de um banco nos jardins do Museu Nacional, entre Charles Wagley, Raimundo Lopes e Edson Carneiro, à sua direita, e Claude Lévi-Strauss, Ruth Landes e Luiz de Castro Faria, à sua

esquerda. Hoje, estão todos mortos, à exceção de Castro Faria e Lévi-Strauss. Mas havia já naquele tempo uma ausência na foto, que só notei depois de começar a minha investigação sobre Buell Quain. Àquela altura, ele ainda estava vivo e entre os Krahô, e a imagem não deixa de ser, de certa forma, um retrato dele, pela ausência. Há em toda fotografia um elemento fantasmagórico. Mas ali isso é ainda mais assombroso. Todos os fotografados conheceram Buell Quain, e pelo menos três deles levaram para o túmulo coisas que eu nunca poderei saber. Na minha obsessão, cheguei a me flagrar várias vezes com a foto na mão, intrigado, vidrado, tentando em vão arrancar uma resposta dos olhos de Wagley, de dona Heloísa ou de Ruth Landes.

Aos oitenta e oito anos, Castro Faria é um homem lúcido, muito articulado e com uma memória às vezes melhor do que a minha, embora sujeita às distorções das impressões subjetivas, como a de qualquer um. Falou de Quain durante mais de uma hora, sem se cansar. No início, foi mais reticente. Não chegaram a ser amigos: "As minhas relações com ele foram superficiais. Sempre me tratou muito bem. Não tivemos intimidade. Como não convivia com ele, apenas nos encontrávamos, não sei nada da sua vida particular. O Quain também não era especialmente amigo do Wagley. Eu acho. Foram contemporâneos. Sendo ambos alunos de Columbia, eram necessariamente solidários. Todos eles eram alunos de Franz Boas, o que dava um traço de personalidade. O Boas distinguia os bons alunos. Ele era o orientador da pesquisa antropológica feita no Brasil pelos americanos. O Wagley era da minha idade. Estivemos sempre juntos. Era meu amigo, amigo mesmo. Estava sempre no Brasil. Casou-se com uma brasileira. Nós o chamávamos Chuck. Ele fez o serviço militar durante a guerra, como técnico do serviço público. Ninguém ficou abalado com a morte do Quain. Nem entre os colegas dele de Columbia. Isso é pouco comum na América, onde as pessoas são muito individualistas. Heloísa ficou, porque era ela, no Brasil, a responsável pela pesquisa dele. Ser responsável por alguém naquela época era uma coisa muito séria, porque você tinha que prestar conta aos órgãos oficiais, que tinham um vasto controle sobre o espaço brasileiro e a pesquisa. Os órgãos de repressão eram muito ativos". Enquanto ele falava, me lembrei de ter visto horas antes, entre os papéis que dona Heloísa havia deixado nos arquivos de sua casa em Itaboraí, uma carta em que, semanas depois da morte de Quain, ela repreendia o delegado de polícia de Carolina, capitão Ângelo Sampaio, como se fosse seu aluno ou subordinado. Estava muito irritada, exasperada com a própria impotência diante da incompetência e do atraso de seus compatriotas. Seus pedidos insistentes para reaver o espólio de Quain, retido pela polícia do Maranhão, não tinham produzido nenhum efeito, o que a deixava numa situação ainda mais delicada diante das autoridades americanas e do Departamento de Antropologia de Columbia. Sua autoridade estava sendo posta à prova. Na carta, ela exige de uma vez por todas o material deixado por Quain e diz ao capitão que o caso já está se tornando "uma vergonha nacional".

Fazendo-me de tonto, perguntei sobre a aparência física dele, sobre o que no geral eu já sabia, na verdade mais interessado nas impressões que havia deixado e nas reações que a sua figura podia ter provocado do que na imagem real: "Não tinha nada de especial. Ele era moço, bastante moço". Gordo ou magro? "Gordo ele não era, de jeito nenhum. Nem muito magro. Era uma pessoa de aspecto comum, digamos." Louro ou moreno? "Não era louro claro, não. Era mais para o moreno. Não tinha nenhuma marca especial." Diante da dificuldade de arrancar alguma coisa do velho professor, decidi perguntar o contrário do que queria saber. Era feio? "Não, era mais para bonito, uma figura simpática."

Aos poucos, Castro Faria foi ficando mais à vontade para falar das "excentricidades" do colega americano, e chegou a citar mais de uma vez ao longo da nossa conversa um jantar que Buell Quain lhe oferecera num restaurante de luxo em Copacabana e que muito o havia impressionado: "Vou lhe contar uma história cuja veracidade talvez nunca se possa comprovar. O Wagley disse-me numa ocasião que, quando eram contemporâneos na Universidade de Columbia, algumas vezes pagou almoços para o Quain com a bolsa que ele, Charles Wagley, recebia. Só muito mais tarde é que foi descobrir que quem lhe dava a bolsa era o próprio Buell Quain. O dinheiro vinha dele. Isso é comum nos Estados Unidos, você doa recursos. Essa era a marca dele. Segundo se dizia, era muito rico. Era filho de médicos. Tinha muito dinheiro. Mas detestava usar dinheiro. Era uma obsessão. Essa preocupação de não deixar transparecer que tinha recursos, e de viver sempre em condições que escondessem a sua verdadeira condição. Uma vez, para você ter uma ideia, ele me pagou um jantar num restaurante de luxo em Copacabana, quando morava num hotel de terceira na rua do Riachuelo. Para não gastar dinheiro. Ele detestava ser rico".

A questão do dinheiro daria um capítulo à parte. Em primeiro lugar, nada na história familiar indica que Quain viesse de um meio especialmente abastado, embora também não fossem pobres, longe disso. Eram médicos bem-sucedidos do Meio-Oeste. Durante seu trabalho de campo no Brasil, o jovem etnólogo chegou a passar por momentos de real dificuldade. Fala disso numa carta a dona Heloísa, datada de 27 de maio de 1939, quando volta a Carolina para buscar dinheiro: "Agora que o dinheiro chegou, me sinto tolo de ter enviado um pedido tão desesperado a Ruth. As pessoas em Carolina têm sido muito solícitas e eu tive todo o crédito de que precisei. Mas prefiro não acumular dívidas. Voltei a Carolina sem sapatos e me sentia inseguro por causa da minha aparência pobre. A única desculpa que tenho para me ver nessas situações é o fato de achar importante dedicar todo o tempo possível ao trabalho etnológico. Mas devo à senhora e ao dr. Othon

[Leonardos, geólogo do Museu Nacional] uma explicação por não ter honrado a posição social que suas cartas me proporcionaram. Mantenho-me em bons termos com os amigos do dr. Othon — mas a minha pobre figura e o meu mau português me intimidam diante deles. Tenho certeza de que me acham rude por causa do meu comportamento".

O principal do legado de Quain vinha de um seguro e das próprias economias. Mas é incrível como depois da sua morte quase toda a correspondência entre dona Heloísa, Manoel Perna, Ruth Benedict, a mãe e a irmã do etnólogo tenha girado em torno do dinheiro que deixou, sem que quisessem tocar nele, mas estivessem imbuídos, pelas instruções do morto, de passá-lo adiante, de fazê-lo chegar ao seu destino. Anos depois, numa absurda intriga de departamento, Ruth Benedict foi acusada por inimigos de ter mandado Quain para o Brasil já com a ideia de herdar o seu legado, como se previsse a morte do aluno e tivesse o conhecimento prévio da decisão dele de doar seus bens para um fundo de pesquisa por ela administrado, o que era totalmente inverossímil. Boa parte das cartas deixadas pelo morto não trata de outra coisa. No caso da bolsa de Wagley em Columbia, porém, é possível que Castro Faria tenha se confundido em relação às datas, pelo menos, uma vez que o fundo de auxílio à pesquisa antropológica na universidade foi criado apenas depois da morte de Quain e seguindo as suas instruções. Quanto à história do restaurante de luxo, curiosamente, foi só bem mais tarde que a referência a outro jantar, num restaurante também em Copacabana, mas dessa vez com o antropólogo Alfred Métraux, me revelou uma dimensão da personalidade de Quain que ninguém nem nenhum documento que eu houvesse consultado até então tinha ousado mencionar diretamente.

Alguns tentaram explicar a morte de Quain por suas miragens. No final de 1938, ao anunciar a chegada de Charles Wagley ao Rio, William Lipkind escreveu a dona Heloísa: "Ele é um ótimo rapaz. Não o deixe perseguir miragens como Buell". Lipkind se referia à expedição frustrada do colega entre os Trumai do rio Coliseu. Cinco anos mais tarde, em 30 de abril de 1943, a própria dona Heloísa foi obrigada a responder à indagação disparatada de um tal John J. Feller, de St. Louis, Missouri. Sua resposta dá uma ideia do ponto a que podem chegar as mistificações:

"Prezado Senhor,

"Sinto desapontá-lo com esta carta, mas a informação que o senhor recebeu sobre a busca do dr. Buell Quain por uma lendária Cidade do Ouro é absolutamente descabida e não possui a menor prova concebível.

"Buell Quain foi um antropólogo que empreendeu seu trabalho de campo entre algumas tribos dos afluentes do rio Xingu, no estado de Mato Grosso. Seus relatórios e anotações de campo são de interesse estritamente científico, sem nenhuma referência a tais assuntos como errâncias em busca de ouro ou de cidades perdidas, e não têm outra utilidade senão a de propósito científico. Sua segunda expedição no Brasil o levou aos índios krahô, que vivem no sul do Maranhão. O dr. Quain chegou ao Brasil em 1938, e portanto falta fundamento à sua afirmação de que ele teria empreendido uma expedição em 1927."

"A única miragem que eu posso admitir que ele tivesse era essa de um mundo sem ricos, porque era realmente uma ideologia. Ele não queria parecer rico. Era seu traço de caráter mais marcante. Não tenho dúvidas. Foi uma experiência curiosa ele me convidar para jantar num restaurante de luxo em Copacabana quando morava numa pensão de terceira na Lapa. Ficava essa oposição entre a vida pública e a vida privada, porque ele insistia em negar a possibilidade de viver tranquilamente como rico mas garantia essa situação para os amigos. Ele sempre viveu essa obsessão: não parecer e na realidade ser. Ele tentava preservar a vida privada de todo contato exterior", me disse Castro Faria.

Quando embarcou, em Corumbá, no final de abril de 1938, no *Eolo*, o naviozinho que o levaria, subindo o rio Paraguai, até Cuiabá e ao encontro de Lévi-Strauss, Castro Faria se surpreendeu ao entrever sobre a cama de uma cabine cuja porta tinha sido deixada aberta um livro do etnólogo alemão Von den Steinen, *Unter den Naturvölkern Zentral-Brasiliens*, que narra sua expedição na segunda metade do século XIX ao alto Xingu. Ainda não havia tradução para o português desse que é considerado um precursor e um clássico da etnografia no Brasil. O passageiro que ocupava aquela cabine só podia ser da área. "Eu o encontrei a bordo de um barco que fazia a viagem de Corumbá a Cuiabá. Registrei assim no meu diário: 'Etnólogo a bordo'." Buell Quain estava indo de Porto Esperança a Cuiabá, de onde pretendia chegar aos Trumai. Em Cuiabá, para espanto de Castro Faria, o jovem etnólogo americano ajudou a descarregar um caminhão com a bagagem de Lévi-Strauss, o que apenas reforçou na cabeça do brasileiro a ideia de que Buell Quain tinha "a preocupação constante de demonstrar que não era ninguém, como se fosse só um serviçal".

Diante da minha insistência sobre a vida pessoal de Quain, Castro Faria terminou por admitir que de fato ouvira falar das excentricidades do jovem americano, mas apenas para repetir que, até onde tinha podido ver, elas se resumiam ao fato de que era um rico fazendo questão de não ser identificado como tal. Eu queria saber a todo custo se Quain era casado. A dúvida fora despertada pela única menção a seu estado civil (no pedido de autorização ao Conselho de Fiscalização) que constava entre todos os documentos a que tivera acesso. Procurava qualquer indício que confirmasse ou não o que me parecia o ponto crucial. Perguntei a Castro Faria se aquilo podia ter sido uma artimanha do etnólogo ou do Museu Nacional para conseguir a autorização, já prevendo os problemas e dificuldades que de fato teve de enfrentar durante a sua expedição aos Trumai. "No tempo do Rondon, havia toda aquela ideologia de não tocar em índio, de não ter relações sexuais com os índios, de morrer se preciso fosse, matar nunca. Havia muitos erros do Serviço de Proteção aos Índios nesse tipo de contato. Deve ter pesado muito o fato de ele ser um estrangeiro. Pode ser que na ideologia do spi, que era de um purismo tolo, fosse melhor ele ser casado. Os alunos do Boas eram aconselhados a trazer as mulheres, porque certas áreas da cultura indígena não estavam abertas aos homens. Era preciso haver uma mulher para conversar com as índias sobre assuntos que eram vedados aos homens. Se ele fosse realmente casado, acho que teria trazido a mulher", Castro Faria concluiu, mas sem conseguir me convencer.

Não sei se por efeito acumulado da minha insistência, lá pelas tantas o velho professor retomou o tema espontaneamente, só que agora para falar pela primeira vez da "instabilidade" de Quain: "Até onde eu sei, ele não era casado. Talvez fosse. Veja bem, era um americano da classe média alta, podia ter sido casado e depois se divorciado. Aliás, sempre ouvi dizer que os pais eram divorciados, o que talvez fosse a razão da instabilidade dele. Parece que também bebiam muito. Não dava para verificar se ele era instável. Tinha fama de ser instável. Em Cuiabá, a primeira coisa que fez ao chegar foi procurar um piano, o que não é fácil, e acho que acabou encontrando. Mas Cuiabá era um fim de mundo. Ouvi alusões ao fato de que ele era um virtuose. Era um musicólogo. Pelo que sempre ouvi dizer, o livro que escreveu sobre Fiji cuida de música e dança, que era a área em que ele se sentia mais à vontade. Ele era pianista. Aonde ia, logo procurava um piano. E assim foi em Cuiabá". Eu o imaginei correndo de casa em casa à procura de um piano sob o calor mormacento daquela cidade morta, encravada no coração do Brasil. Quando relatei a história à antropóloga, em retribuição às primeiras informações que havia me passado, ela exclamou que aquilo dava um filme e que já conseguia até ver a cena. Devia estar com uma produção do tipo *Fitzcarraldo* na cabeça.

"Tivemos um pequeno convívio em Cuiabá. Depois, perdemos o contato. Nossos destinos eram outros. Ele ia para o Brasil central, e nós faríamos a travessia de Mato Grosso até o Amazonas", prosseguiu Castro Faria. Perguntei se Lévi-Strauss e Buell Quain tinham se conhecido ou mesmo se não teriam ficado mais próximos em Cuiabá, afinal ambos eram antropólogos e estrangeiros numa terra estranha, e eu supunha que pudesse ter havido algum tipo de cumplicidade entre os dois. Ele riu. "Não. Isso era uma coisa muito difícil. Estivemos juntos, eu, o Lévi-Strauss e o Quain, mas só em ocasiões sociais. O Lévi-Strauss não privava da companhia de ninguém. Você precisa compreender, ele é um francês, um *normalien*, um francês de formação filosófica. É um sujeito retraído, e essa é uma postura comum aos filósofos, como se eles fossem diferentes. Estão sempre pensando em coisas complexas. E foi isso provavelmente que fez o Lévi cair do burro. Ele cometeu um erro que ninguém habituado a viajar e ao trabalho de campo cometeria: atirou de cima do burro. Ora, ficou sem burro e perdido. É um homem muito silencioso. Em todas as ocasiões em que encontrei o Quain, as nossas relações foram muito formais, quem mandava em todos nós era Heloísa Alberto Torres. Ele sempre me pareceu muito simpático. Mas nunca deixei de perceber também um certo isolamento."

A mim, parecia improvável que, a despeito do que me dizia Castro Faria, Lévi-Strauss e Buell Quain não tivessem estabelecido algum vínculo nessa ocasião, uma vez que ficaram hospedados no mesmo hotel, o Esplanada, que pertencia a um libanês. Os dois preparavam suas respectivas expedições. O que aconteceu, na verdade, como depois vim a saber, foi que logo simpatizaram um com o outro. No relatório que faria um ano depois sobre os índios krahô, Quain diz que sua opinião foi influenciada "pelo contato com Lévi-Strauss". Passaram noites conversando, em Cuiabá, o que explica o fato de o jovem americano ter procurado o antropólogo francês para desabafar quando mais precisou. Estava muito angustiado na ocasião. A julgar por certos sintomas na pele, achava que tinha contraído sífilis em consequência de uma aventura casual com uma moça que teria encontrado durante o Carnaval no Rio. Segundo ele, a moça em questão havia lhe inspirado confiança ao se dizer enfermeira. Lévi-Strauss o aconselhou a voltar ao Rio para confirmar o diagnóstico e se tratar, mas Quain não lhe deu ouvidos. Anos mais tarde, em Nova York, o antropólogo francês fez o relato desse encontro a Ruth Benedict.

Quain deixou Cuiabá no dia 17 de junho rumo ao Xingu e aos Trumai, depois de muitos atrasos, em boa parte por causa de uma infecção no ouvido. Na véspera, escreveu a dona Heloísa, anunciando a sua partida: "A senhora terá notícias minhas antes da chegada das chuvas".

Quase um ano depois do encontro com Lévi-Strauss em Cuiabá, enquanto esperava as mulas em Carolina antes de partir com um grupo de índios krahô para a aldeia, Quain descreveu a Ruth Landes, de uma forma muito peculiar, as primeiras impressões sobre os seus companheiros de viagem: "O pai do chefe da aldeia para onde estou indo era um escravo fugitivo. Todos os dentes visíveis da arcada superior são limados de ambos os lados. Esse corte dos dentes que você havia mencionado como uma característica dos negros (os cantos interiores desbastados dos incisivos superiores) também é um sintoma comum de sífilis congênita; são chamados 'dentes de Hutchinson'. Você vê um caso ou outro entre os brasileiros, de vez em quando. Já vi três desde que cheguei ao Brasil. Não pensei nisso na época em que falamos sobre traços negros. Melhor teria sido prestar atenção. Ou eram os cantos exteriores dos incisivos que eram desbastados?".

Landes era uma moça judia de Nova York que, depois de conviver com os negros no Harlem, começou a estudar antropologia e veio para o Brasil pesquisar o candomblé da Bahia. É verossímil que tenha se interessado por traços raciais negros. O estranho é a associação um tanto perturbada que Buell Quain faz desses traços com sinais de uma determinada condição patológica, o fato de reconhecê-los vez por outra na vida cotidiana e de lamentar não ter dado maior atenção àquelas informações, como se de posse delas tivesse podido melhor se defender ou evitar alguma coisa.

"Nunca ouvi nenhuma história sobre o comportamento sexual dele", disse Castro Faria. "Falaram um monte de coisas depois do suicídio, inclusive que ele tinha lepra. Não se tem prova de coisa nenhuma. Quando chegou a notícia do suicídio — e esses dados todos sempre causam muita impressão —, acharam que talvez fosse uma doença. Foi uma coisa tão inesperada. Uma vez ele me disse: 'Castro Faria, eu não tenho mais nada para ver no mundo'. Tinha sido embarcadiço, o trabalho mais grosseiro, mais humilde de todos, num navio ao redor do mundo. Ele me disse que tinha andado pelo mundo todo, não tinha mais nada para ver. Era uma pessoa solitária. Era muito fechado. Essa expressão de alguém que já tinha visto tudo no mundo era realmente de quem já não via nenhum interesse de estar presente. O convívio dele era muito reduzido. Acho que não aprendeu português, nem se interessava pelo Brasil. Aliás, nunca vi um livro dele. O que ele me disse eu repito: 'Castro Faria, eu não tenho mais nada a fazer no mundo. Já vi tudo'. Realmente foi uma coisa absolutamente inesperada. Ninguém podia esperar que um antropólogo americano da melhor escola, trabalhando no Brasil, fosse se suicidar aqui, moço e já consagrado, porque corria a fama de que ele era um dos melhores alunos do Franz Boas, e que o Boas o distinguia muito. E dona Heloísa tinha uma especial deferência com todos os que eram indicados por Boas e vinham para o Brasil."

6. *Isto é para quando você vier e sentir o temor de continuar procurando, mesmo já tendo ido longe demais. Ele deve ter lhe falado dos portos que visitou, do que viu pelo mundo, sempre um pouco mais além numa busca sem fim e circular, e do que trouxe para casa, não os objetos que passaram a assombrar a mãe depois da sua morte, mas o que lhe marcou os olhos para sempre, deixando-lhe aquela expressão que ele tentava disfarçar em vão e que eu apreendi quando chegou a Carolina na distração do seu cansaço, os olhos que traziam o que ele tinha visto pelo mundo, a morte de um ladrão a chibatadas numa cidade da Arábia, o terror de um menino operado pelo próprio pai, a entrega dos que lhe pediam que os levasse com ele, para onde quer que fosse, como se dele esperassem a salvação. Ele me disse que ninguém pode imaginar a tristeza e o horror de ser tomado como salvação por quem prefere se entregar sem defesas ao primeiro que aparece, quem sabe um predador, a ter que continuar onde está. E eu imaginei. Ao contrário de você, a única coisa que ainda me pergunto é sobre o momento em que ele entendeu que estava perdido, quando passou a sentir que alguém pudesse ver nele a salvação, o momento em que entendeu que tudo podia ser ainda muito pior e que havia gente abaixo dele na sua escala de aviltamento. Porque talvez tenha sido esse o instante em que ele decidiu que desceria também, sempre um pouco mais, nem que fosse*

para lhes dar a mão. E quando precisou que eu lhe estendesse a minha, já não estava ao meu alcance. Penso em como são formadas as personalidades peculiares. Se são como as outras, se são como nós. O que pode ter passado um homem na infância para trazer uma cicatriz daquelas na barriga? Que espécie de sofrimento o pôs em sintonia com um mundo pior que o seu?

7. A situação dos estrangeiros no Brasil do Estado Novo era delicada. A impressão era que estavam sob vigilância permanente. Dos jovens antropólogos de Columbia que trabalhavam no país no final dos anos 30, Ruth Landes foi provavelmente a que mais sentiu na pele o clima de ignorância e o horror, uma vez que estava envolvida pessoal e profissionalmente com os intelectuais baianos perseguidos, presos e intimidados pelo regime sob a acusação de serem comunistas. Foram eles que facilitaram o seu acesso aos rituais de candomblé, objeto da sua pesquisa. A correspondência dela com Ruth Benedict é reveladora. Numa carta de maio de 1938, Landes menciona à orientadora ter recebido "notícias pesarosas" de Quain — que estava retido em Cuiabá com uma infecção no ouvido — mas que ele próprio revelaria mais detalhes a Benedict em carta a ser remetida pela Bolívia por razões de segurança. Landes se desculpa pela linguagem "um tanto canhestra", explicando que é obrigada a escrever dessa maneira também por razões de segurança. A prostração de Quain se devia em especial às dificuldades que enfrentava para chegar ao Xingu sem as devidas autorizações. Sua expedição solitária aos Trumai terminaria com uma convocação expressa de volta ao Rio de Janeiro nos seguintes termos: "De conformidade com a recomendação do Senhor Tenente-Coronel Vicente de Paulo Teixeira da Fonseca Vasconcelos, Chefe do Serviço de Proteção aos Índios, venho, por este meio, vos convidar para retirardes da aldeia dos índios trumai

onde vos encontrais, visto como a vossa permanência ali constitui infração ao regulamento daquele Serviço. Saúde e fraternidade, Álvaro Duarte Monteiro, Inspetor Regional do Ministério do Trabalho, interino". Em carta a Ruth Benedict, Heloísa Alberto Torres se explica: "Certos equívocos da parte do sr. Quain foram interpretados pelo Serviço como infrações à lei e levaram este órgão a impor-lhe condições estritas se ele desejar prosseguir com suas pesquisas nas aldeias indígenas". Castro Faria diz que essa era a praxe: "Até eu, que era membro-delegado do Conselho de Fiscalização na expedição do Lévi-Strauss, precisava de um salvo-conduto".

Numa carta de março de 1939 a Ruth Benedict, Landes diz que vive num "estado de absoluta solidão emocional" depois de "duas semanas de horror". Menciona uma carta anterior em que teria relatado à orientadora a "história de espionagem na Bahia": "Se você não a recebeu, ela deve ter se 'extraviado', mais ou menos deliberadamente".

Às vésperas da guerra, havia também um forte sentimento antiamericanista no ar, e os jovens antropólogos de Columbia, já muito desconfiados e suscetíveis aos métodos do regime, se sentiam ainda mais acuados, desamparados e solitários. Landes conta que, no Rio, a pressão e o temor chegaram a um ponto em que "nós três (Buell, Chuck e eu) tivemos de ir com dona Heloísa à polícia para conseguir algum tipo de identificação para os rapazes".

Se é que Buell Quain já tinha alguma coisa a esconder, a situação política só lhe dava ainda mais razões para a dissimulação e a preservação quase paranoica da sua vida pessoal. Na carta que escreveu a Ruth Landes, na manhã em que se preparava para deixar Carolina rumo à aldeia krahô, ele a aconselha a desconfiar de tudo: "Estou preocupado com as suas relações com dona Heloísa. Você provavelmente vai dizer que eu não devo me meter onde não sou chamado. Mas acho que você deve lhe retribuir os favores fazendo-se de humilde na frente dela, evitando dizer coisas que soem como crítica antipática ao Brasil, fingindo se interessar pelo trabalho dos acadêmicos brasileiros, e até mesmo deixando-a pensar que é a orientadora da sua pesquisa. É claro que daria para você passar despercebida no Rio de Janeiro e dar andamento ao seu trabalho sem prestar contas a ninguém. Mas uma vez que dona Heloísa já a conhece, ela vai continuar curiosa em relação a você. E se você vier a ter mais problemas, ela pode ser útil. Ela realmente tem influência. Há muito antagonismo aos Estados Unidos por aqui. As pessoas escarnecem da política de boa vizinhança de Roosevelt. Um intelectual a quem fui indicado por dona Heloísa escreve panfletos. Um deles tem asserções do tipo: 'Se a Alemanha invadir o Brasil, os Estados Unidos nos defenderão, mas não há ninguém para nos proteger do imperialismo americano'. É muito difícil para mim refutar essas coisas em português. Normalmente, faço cara de estúpido e deixo para lá".

Perguntei a Castro Faria sobre a repercussão do suicídio de um jovem etnólogo americano em meio a esse estado de coisas. "Não creio que o suicídio dele tenha tido alguma repercussão nacional. Não sei nem localmente quais foram as reações. A morte no interior é muito diferente do que a que acontece aqui. Foi inteiramente imprevisto, apesar de todas as excentricidades dele, que eram faladas. Sobretudo a coisa do dinheiro, de ocultar a possibilidade que ele tinha de resolver todos os problemas econômicos com recursos dele e da família. O suicídio não foi traumatizante para nenhum de nós. Foi surpreendente. O Quain foi um acidente na história da antropologia e nas relações entre o Museu Nacional e a Universidade de Columbia. Mas as relações continuaram sem problemas."

O clima de desconfiança nas relações com os antropólogos americanos ganhou contornos mais específicos no caso de William Lipkind. Dona Heloísa preferia abertamente Quain e Wagler. "Eles são mais bem-educados, mais bonitos e mais charmosos", explicava Ruth Landes numa carta a Ruth Benedict. Para completar, Lipkind era cheio de si e chegou a fazer barganhas com dona Heloísa por um melhor preço pelo material indígena que trazia das aldeias graças à ajuda dela, o que obviamente muito a irritou. "Falava-se que o William Lipkind tinha deixado o nome bastante comprometido, porque ele fazia relatórios políticos para os americanos. Isso é de ouvir falar, mas parece que num dos relatórios que escreveu sobre os Karajá havia uma menção a informações que ele deveria prestar ao Departamento de Estado. Parece que ele desempenhou — e muitos americanos desempenharam — uma função de observador", disse Castro Faria.

8. *Isto é para quando você vier. Se é que realmente quer saber. Ao sairmos da festa, eu me adiantei e convidei o dr. Buell a passar em casa. Ele mal me reconheceu. Perguntei se estava apreensivo com a partida no dia seguinte. Tentou recusar o meu convite. Eu insisti. Aceitou por cerimônia, por não dominar os códigos do lugar, por não saber quem eu era. Estava cansado. Bebemos e conversamos. Era preciso que nos conhecêssemos. Foi a primeira noite. Perguntei se era a primeira vez que visitava uma aldeia. Ele riu. Aquilo serviu de provocação. Sentiu-se ofendido e não parou mais de falar. Falou dos Trumai, e eu os imaginei. Tudo o que ele contou daí em diante eu procurei imaginar. Se faço as contas, vejo que foram apenas nove noites. Mas foram como a vida toda. A primeira, na véspera de sua partida para a aldeia. Depois, mais sete durante a sua passagem por Carolina em maio e junho, quando vinha à minha casa em busca de abrigo, e a última quando o acompanhei pelo primeiro trecho de sua volta à aldeia, quando pernoitamos no mato, debaixo do céu de estrelas. A última noite foi por minha conta. Ele não havia requisitado a minha companhia, mas senti que devia acompanhá-lo a cavalo, nem que fosse apenas no primeiro trecho do*

percurso, como se de alguma maneira soubesse o que àquela altura não podia saber, que nunca mais o veria. O que agora lhe conto é a combinação do que ele me contou e da minha imaginação ao longo de nove noites. Foi assim que imaginei o seu sonho e o seu pesadelo. O paraíso e o inferno. Na primeira noite, ele me falou de uma ilha no Pacífico, onde os índios são negros. Me falou do tempo que passou entre esses índios e de uma aldeia, que chamou Nakoroka, onde cada um decide o que quer ser, pode escolher sua irmã, seu primo, sua família, e também sua casta, seu lugar em relação aos outros. Uma sociedade muito rígida nas suas leis e nas suas regras, onde, no entanto, cabe aos indivíduos escolher os seus papéis. Uma aldeia onde a um estranho é impossível reconhecer os traços genealógicos, as famílias de sangue, já que os parentes são eletivos, assim como as identidades. O paraíso, o sonho de aventura do menino antropólogo. Queria estudar zoologia, mas bastou um semestre na universidade para ter a revelação da vida por vir. Não sei o quanto você conheceu dele. Será demais lembrá-lo de que, em março de 1931, depois de passar pelos primeiros exames, e para comemorar o final do semestre, ele pegou um ônibus com alguns colegas até Chicago, onde beberam até cair e foram ao cinema? Como uma palavra de Deus, ele não podia esperar por aquilo. E até a noite em que me contou ainda não sabia o quanto havia do efeito da bebida no que viu. Na escuridão da sala de cinema, a luz de prata se acendeu na tela e uma vida impensada se descortinou diante dele, uma nova possibilidade e uma saída, como se um caminho inexplorado se abrisse à sua frente. Não fazia ideia do filme a que assistiria quando entrou no cinema, assim como não fazia ideia do destino que ali lhe era apresentado. Assistiu vidrado a uma história de amor no Pacífico Sul. A um amor proibido pelas leis de uma sociedade de nativos. Um amor condenado pelos deuses. Um tabu. Até a noite em que me contou suas lembranças, não sabia o quanto havia do efeito daquele amor proibido na própria vocação. Ao sair do cinema, lembrava-se apenas dos corpos dos nativos delineados pelo sol e pela água, as gotas de prata, como pérolas, nos corpos refletidos de sol contra o céu. Iria ao encontro deles. Saiu do cinema determinado. Já não falava com ninguém. Seus colegas não viam o que ele via. O mundo ficou diferente. O mundo já não era ali. Estava em outro lugar. É preciso entender que cada um verá coisas que ninguém mais poderá ver. E que nelas residem as suas razões. Cada um verá as suas miragens. Trancou a matrícula da faculdade e embarcou, como aprendiz de marinheiro, num cargueiro para Xangai. Passou seis meses fora. Deu duro. Voltou como "marinheiro de primeira classe". Queria ver as ilhas do Pacífico Sul, a ilha encantada de um filme, as gotas de prata de um amor proibido. Não sei o quanto conheceu dele, muito mais que eu, não tenho dúvidas, mas seria demais lhe dizer que o dr. Buell, meu amigo, bebeu comigo e me contou que procurava entre os índios as leis que mostrariam ao mesmo tempo o quanto as nossas são descabidas e um mundo no qual por fim ele coubesse? Um mundo que o abrigasse? A gota de prata de um tabu. Em Xangai ele conheceu um rapaz chinês que queria deixar a China para sempre. O dr. Buell lhe falou da América como de um sonho. E, na sua ingenuidade, achou que pudesse ajudar o chinês a realizar o sonho dele, como ele próprio já estava decidido a realizar o seu. Prometeu o que não podia. O sonho de uns é a realidade dos outros. E o mesmo pode ser dito dos pesadelos. Conseguiu fazer com que o rapaz embarcasse clandestinamente no navio. Mas não que chegasse à América. Foi descoberto, expulso e castigado no primeiro porto, sob os olhos horrorizados do seu jovem benfeitor americano. Não descartava a hipótese de que o tivessem matado, por ter se misturado com os brancos. O sonho é um ponto de vista. É um lugar de onde se vê. Mas por mais que ele me falasse de Fiji e de Vanua Levu, a sua ilha no Pacífico Sul, eu não conseguia ver. Era como se os dez meses que ele tinha vivido por lá não passassem mesmo de um sonho. O que ele me contava se desmanchava como as nuvens. E eu não *conseguia imaginar. Não podia conceber que a aldeia em que morou, por estar situada numa ilha, não fosse à beira-mar, mas no interior, a caminho das montanhas. Os olhos não podem ver. Quando ele mostrava aos jovens nativos da ilha revistas ocidentais com fotografias que os mais velhos não teriam podido nem ao menos compreender, sempre lhe perguntavam se as pessoas retratadas eram homens ou mulheres. Para me ajudar a ver, quando voltou a Carolina em maio, trouxe uma fotografia e um desenho que havia feito de próprio punho. Eram retratos de dois negros muito fortes, que posavam para ele com o torso nu e o olhar distante.*

Posso não ter imaginado o paraíso, mas o inferno eu pude ver. O pesadelo é um jeito de encarar o medo com olhos de quem sonha. Quando me falava dos Trumai, eu o ouvia falar do medo. Passou quatro meses entre eles, entre agosto e novembro de 1938. Até ser chamado de volta ao Rio, em dezembro. Foi de Cuiabá a Simões Lopes de caminhão, e depois por mais seis dias em lombo de burro pela mata, e depois por mais uma semana em três canoas pelo Coliseu até a missão mantida por um casal de americanos, o reverendo Thomas Young e a mulher, cujos nomes eu reconheci entre as cartas que ele deixou ao se matar. Dois homens brancos e um menino o ajudaram com as canoas. O dr. Buell remava uma delas. No final do segundo dia, com o cair da noite, uma das canoas se encheu de água e eles tiveram que parar e estender a bagagem molhada sobre uma pedra. Só no dia seguinte se deram conta de que o sol mal atingia a pedra. Estavam dentro da floresta. Mas, apesar do vento, só no quinto dia é que tiveram de enfrentar verdadeiras correntezas. Uma das canoas bateu contra uma pedra, e os mantimentos foram carregados pelo rio.

9. Em carta de 1º de novembro de 1940 a Heloísa Alberto Torres, a mãe de Quain conta a história dos missionários do rio

Coliseu. À falta de quinino, e com os homens morrendo de malária, os americanos começaram a rezar. "Foi quando viram um homem com a cabeça raspada, calças esfarrapadas e uma velha jaqueta vindo do rio na sua direção. Acharam que fosse um prisioneiro em fuga, até que ele lhes sorriu." No delírio do seu pesadelo, devem ter visto um condenado com correntes nos pés e nas mãos, saindo de dentro de algum pântano da Louisiana ou do Mississippi. Ou pelo menos foi assim que imaginei as visões febris e apavoradas dos pobres missionários quando li a carta da mãe do etnólogo. Segundo ela, Quain lhes teria dado um novo remédio, que, como por milagre, logo os tirou daquele estado — o que, aos olhos dessa gente, fez dele naturalmente uma espécie de salvador enviado em resposta às preces e à fé dos desesperados. O jovem antropólogo teria obtido o medicamento e por sorte o incluíra na sua bagagem depois de a mãe ter lido um artigo numa revista médica e lhe mandado o recorte para o Rio de Janeiro. De alguma forma, nem que fosse à distância, ela tentava ser útil e acompanhar os desígnios do filho em sua descida aos infernos. No final de 1940, ainda atormentada pela morte de Buell e tateando no seu luto em busca de uma resposta, Fannie Dunn Quain foi a Chicago assistir a uma palestra dos missionários Thomas e Betty Young no Moody Institute. A palestra foi ilustrada por fotos tiradas por Buell entre os Trumai. O mais provável, porém, é que, ao se apresentar e cumprimentá-los entre os outros convidados, ela não tenha lhes perguntado nada, em parte por constrangimento, em parte por temer que lhe revelassem o que não podia ouvir. É possível que, dez anos depois, tenha morrido sem chegar a perguntar nada a ninguém. Preferia acreditar que não soubessem o que ela também não podia saber. Depois da morte do filho, manifestou mais de uma vez na correspondência com dona Heloísa a vontade de recompensar os índios, ajudá-los com o dinheiro que Buell deixara. Sua insistência atormentada dá a impressão de que tentava, ainda que inconscientemente, sob um véu de filantropia, comprar o silêncio dos índios ou subornar a própria consciência.

Quain passou três semanas com os missionários antes de continuar rio abaixo, por território de tribos inimigas, até a aldeia. Os Trumai que o acompanhavam cantavam durante a noite e se calavam com o nascer do sol. O clima de animosidade e terror entre as diversas tribos da região os obrigava a acender fogueiras sempre que entravam em "território estrangeiro", para anunciar a sua presença. As surpresas e os encontros inesperados deviam ser evitados a todo custo, sob pena de provocar trágicos incidentes e mal-entendidos. Na viagem pelo Coliseu, a simples visão de uma canoa kamayurá era motivo de preocupação. Quain chegou à aldeia trumai em meados de agosto. A região era das mais inacessíveis e isoladas, às margens do rio Culuene, na confluência com o Coliseu. O acesso à área pelo rio Xingu é impossível devido às cachoeiras. Temidos no passado pelo número e pela coragem guerreira, os Trumai estavam reduzidos a uma única aldeia de quatro ocas e uma quinta em construção. Eram dezessete homens, dezesseis mulheres e dez crianças. Instalaram-se ali fazia dois anos, basicamente porque tinham medo, acuados, com o objetivo de se afastarem de tribos inimigas, em especial dos Kayabi e dos Nahukwá, cujo chefe era um poderoso xamã. Seus antepassados já haviam sido expulsos dessa mesma região pelos Suyá. Mas agora os Trumai temiam sobretudo os Kamayurá, seus vizinhos mais próximos, que no passado chegaram a raptar todas as moças da aldeia e que também tentaram amedrontar Quain, dizendo que o poderoso xamã, chefe dos Nahukwá, viria pegá-lo. Na realidade, quando por fim se encontraram, o chefe kamayurá tratou Quain com despeito e aparente indiferença. No fundo, estava ressentido pelo fato de o antropólogo ter escolhido permanecer entre os desprezíveis Trumai e não na aldeia kamayurá. Os Kamayurá inventavam histórias e lendas para acirrar o clima de terror. Tinham uma sensibilidade muito aguçada para a maldade psicológica. E de alguma forma devem ter percebido a vulnerabilidade psíquica do antropólogo, tanto que jogavam com a sua solidão e com o seu equilíbrio delicado, dizendo que o pai dele estava chegando de avião com muitos presentes para os Trumai ou que um avião cheio de brancos havia pousado na missão de Thomas Young no rio Coliseu. Por outro lado, os Trumai também pioravam o estado de histeria com as próprias lendas. Acusavam os Kamayurá de, entre outras coisas, torturar seus prisioneiros e depois comer seus miolos. "Há uma expectativa permanente de que os Suyá e os Kamayurá ataquem à noite — basta um galho quebrado depois do cair da noite para levar os homens a se agruparem, com seus arcos e flechas, trêmulos, no centro da aldeia", Quain escreveu a Ruth Benedict.

Duas vezes entrevistei Lévi-Strauss em Paris, muito antes de me passar pela cabeça que um dia viria a me interessar pela vida e pela morte de um antropólogo americano que ele conhecera em sua breve passagem por Cuiabá, em 1938. Muito antes de eu ouvir falar em Buell Quain. Numa das entrevistas, a propósito de uma polêmica sobre o racismo e a xenofobia na França, em que tinha sido mal interpretado, Lévi-Strauss reafirmou a sua posição: "Quanto mais as culturas se comunicam, mais elas tendem a se uniformizar, menos elas têm a comunicar. O problema para a humanidade é que haja comunicação suficiente entre as culturas, mas não excessiva. Quando eu estava no Brasil, há mais de cinquenta anos, fiquei profundamente emocionado, é claro, com o destino daquelas pequenas culturas ameaçadas de extinção. Cinquenta anos depois, faço uma constatação que me surpreende: também a minha própria cultura está ameaçada". Dizia que toda cultura tenta defender a sua identidade e originalidade por resistência e oposição ao outro, e que havia chegado a hora de defender a originalidade ameaçada da sua própria cultura. Falava da ameaça do islã, mas podia estar falando igualmente dos americanos e do imperialismo cultural anglo-saxão.

O que mais ameaçava os Trumai quando Quain os visitou não eram os brancos. Já não tinham a disposição de resistir aos demais grupos indígenas locais. Ficavam acuados diante do outro. Apesar de todo o medo, a maioria dos contatos entre as tribos da região era amistosa, mesmo se pontuados por eventuais intimidações e roubos por parte dos visitantes, sobretudo quando os anfitriões eram os enfraquecidos Trumai, que não reagiam. Os Trumai sempre tentavam agradar seus visitantes, mesmo os que os ameaçavam e desprezavam, como os Kamayurá. Travaram o primeiro contato com os brancos em 1884. Por ocasião de sua expedição ao Brasil central, Von den Steinen foi alertado por outras tribos sobre os perigosos Trumai do alto Xingu, na época considerados belicosos em relação aos estrangeiros, já que viviam em guerra com seus vizinhos. Mas, assim como ocorreu com o pioneiro explorador alemão, não foi essa a experiência de Quain. Uma vez estabelecidos os primeiros contatos, ambos foram recebidos com toda a amabilidade pelos mirrados e temidos Trumai. Na realidade, essa hospitalidade era causada mais pelo temor dos vizinhos do que por algum código de etiqueta. No início, a convivência não foi fácil para o jovem etnólogo de Columbia. Chamavam-no Capitão. Ao chegar, raspou a cabeça e as sobrancelhas, para a perplexidade dos seus anfitriões, já que a prática é considerada um costume suyá. Logo roubaram todas as suas roupas, cobiçadas como proteção contra os mosquitos, e ele teve de improvisar "trajes sumários" com um mosquiteiro. Mal falava a língua, e não entendia as relações de parentesco e a organização social da aldeia. (Além do núcleo familiar consanguíneo, os índios estabelecem entre si relações simbólicas de parentesco, que servem para organizar a sociedade, suas interdições e as obrigações de cada indivíduo. Nessas relações de "parentesco classificatório" se manifestam a lei e a lógica dessas sociedades. O parentesco passa a ser um código extremamente complexo, cujo principal objetivo é evitar o incesto em comunidades predominantemente endogâmicas e às vezes reduzidas a algumas dezenas de indivíduos.) Quando Quain tentava conversar com os índios, eles lhe pediam que cantasse as canções com as quais os entretivera no início, antes que soubesse exatamente como se comportar ou o que fazer. "Eles se recusam a expressar termos de parentesco — o que impede o meu entendimento da regulação do incesto", relatou na mesma carta a Benedict, mas só bem mais tarde, nas minhas conversas com os Krahô a propósito do suicídio do antropólogo, é que eu iria atrelar a essa frase o peso das minhas suspeitas, infundadas ou não.

O fato é que no começo Quain achou os Trumai "chatos e sujos" ("Essa gente está entediada e não sabe"), o contrário dos nativos com quem convivera em Fiji e que transformara num modelo de reserva e dignidade. Julgava os Trumai por oposição a sua única outra experiência de campo: "Dormem cerca de onze horas por noite (um sono atormentado pelo medo) e duas horas por dia. Não têm nada mais importante a fazer além de me vigiar. Uma criança de oito ou nove anos parece já saber tudo o que precisa na vida. Os adultos são irrefreáveis nos seus pedidos. Não gosto deles. Não há nenhuma cerimônia em relação ao contato físico e, assim, passo por desagradável ao evitar ser acariciado. Não gosto de ser besuntado com pintura corporal. Se essas pessoas fossem bonitas, não me incomodaria tanto, mas são as mais feias do Coliseu". O etnólogo comparava os mirrados Trumai aos homens musculosos de Fiji, que ele havia retratado em seus desenhos e fotografias. Ainda na carta a Benedict, ele diz: "Minha doença me deixa especialmente angustiado e inseguro em relação ao futuro", sem especificar do que está falando.

Dois meses e meio depois, já estava integrado. E assim se permitia recusar os pedidos incessantes dos índios, como quando estava deprimido e queriam que cantasse. A violência física não era permitida na aldeia, sobretudo contra as crianças, e Quain por duas vezes quase desencadeou uma comoção social ao bater na mão de um menino que lhe roubava farinha e ao pisar sem querer no pé de outro. Os conflitos, em geral ligados ao sexo e ao adultério, ou eram substituídos por práticas de feitiçaria ou se resolviam em representações catárticas, em que os envolvidos descarregavam suas diferenças emocionais por meio de ações simbólicas numa espécie de teatro improvisado no centro da aldeia. Volta e meia o etnólogo via os mais jovens em abraços ou jogos sexuais. Para evitar que os índios deitassem em sua rede, dizia a todos os que o procuravam com esse pedido que sua "mulher ficaria zangada" se soubesse. Não havia virgens na aldeia. Para afastar as mulheres que o visitavam, ameaçava estuprá-las, e elas logo fugiam, em geral às gargalhadas. Estava completamente só.

10. *Isto é para quando você vier. A ele, só restava observar, que em princípio era a única razão da sua presença entre os Trumai. Quando chegou aqui, estava cansado desse papel. Mas também tinha horror da ideia de ser confundido com as culturas que observava. Me contou que, entre os nativos com que convivera na sua ilha da Melanésia, não podia haver pior desgraça para um rapaz do que ser acusado de espreitar as mulheres. Era um sinal de infantilidade: diziam dos que espreitavam que não eram capazes de alcançar a satisfação sexual pelas vias de fato. Ele estava cansado de observar, mas nada podia lhe causar maior repulsa do que ter que viver como os índios, comer sua comida, participar da vida cotidiana e dos rituais, fingindo ser um deles. Tentava manter-se afastado e, num círculo vicioso, voltava a ser observador. Me falou das crianças tru-*

mai como exceção, das quais se aproximou na tentativa de compreender os seus jogos, e entre elas, talvez por uma estranha afinidade decorrente do lugar incômodo que ele próprio ocupava na aldeia, justamente como observador, logo percebeu um órfão de dez ou doze anos que era mantido à margem. Era um desajustado. O único ali que, como ele, não tinha família. Nunca participava das lutas que os outros meninos organizavam. Como não havia meninas adolescentes, os jogos sexuais aconteciam entre meninos ou entre meninos e homens, quase sempre por iniciativa dos primeiros, que os adultos não reprimiam. Observou que o órfão tinha um interesse especial por esses jogos. Costumava procurar os homens mais velhos, que não o rechaçavam. Não sei se esse menino também o procurou e por isso me contava a história, mas outro garoto, logo depois da primeira ereção, compareceu uma noite à casa do dr. Buell para se vangloriar e certa vez chegou a copular com uma menina, sob os olhos do antropólogo, de propósito, para se mostrar, sabendo que era observado. O sexo assombrava a solidão do meu amigo. Também parece ter ficado impressionado, tanto que me contou, ainda naquela primeira noite depois da festa em Carolina, que na passagem para a idade adulta, como um rito de iniciação, os meninos trumai tinham o corpo inteiro esfolado com uma pata afiada de tatu. Era uma prova de coragem, uma recompensa e uma honra, embora muitos, apavorados e horrorizados, chorassem de dor durante o sacrifício, cobertos de sangue. Entre os Trumai, as cicatrizes eram muito admiradas. Os meninos de sete anos expunham com orgulho as marcas que as cerimônias lhes deixavam pelo corpo. Foi quando, para minha surpresa, ele abriu a própria camisa e me mostrou uma cicatriz que ia da barriga ao peito. Sorriu e esperou a minha reação, mas eu não sabia o que dizer. Como se tivesse ficado decepcionado com a minha expressão atônita, ou como se o meu espanto o tivesse despertado ou trazido de volta depois de um lapso de consciência, abotoou a camisa e me disse, lacônico, que tinha sido operado na infância e que já era tarde, precisava ir embora. Nunca mais tocou no assunto. Tudo isso ele me contou naquela primeira noite quando nem nos conhecíamos. E hoje, ao lembrar das palavras do dr. Buell, só me vem à cabeça a imagem do seu corpo enforcado, cortado com gilete no pescoço e nos braços, coberto de sangue, pendurado sobre uma poça de sangue, que foi como os índios o encontraram e o descreveram ao chegarem à minha casa. Me lembro ainda de ele ter comentado, perplexo, que os Trumai, apesar de estarem em vias de extinção, continuavam fazendo abortos e matando recém-nascidos. E que, talvez sem saber, estivessem cometendo um suicídio coletivo, vivendo um processo coletivo de autodestruição, já que, ao contrário de outras tribos, não tinham quase nenhum contato com os brancos, não conheciam nada além dos rios Coliseu e Culuene, e não sofriam nenhum processo de aculturação, embora fossem subjugados pelos Kamayurá e em parte assumissem a cultura deles. Além dessa forma coletiva e inconsciente, ele me disse que não observou nenhum caso de suicídio propriamente dito durante a sua breve estada entre os Trumai. O curioso é que, ao ser obrigado a interromper o trabalho, tivesse se esquecido de lhes fazer justo essa pergunta: se houvera alguma vez um suicídio entre eles. Em todo caso, ficou com o sentimento de que tinham o temperamento suicida e estavam prontos para se matar. "O importante", ele me disse ainda na primeira noite em Carolina, sem que eu pudesse entender do que realmente falava, "é que os Trumai veem na morte uma saída e uma libertação dos seus temores e sofrimentos." Uma vez em que havia caído doente, um de seus amigos índios se ofereceu para esfaqueá-lo com o intuito beneficente de livrá-lo da dor da doença. Não era à toa que matavam os recém-nascidos. Pior era nascer. Ele me disse: "Uma cultura está morrendo". Agora, quando penso nas suas palavras cheias de entusiasmo e tristeza, me parece que ele tinha encontrado um povo cuja cultura era a representação coletiva do desespero que ele próprio vivia como um traço de personalidade. E compreendo por que quisesse tanto voltar aos Trumai e ao inferno que me relatou. Como se estivesse cego por algum tipo de obstinação. Queria impedir que desaparecessem para sempre. O livro que escreveria sobre eles seria uma forma de mantê-los vivos, e a si mesmo.

Quando ele falava da coragem dos índios, eu só o ouvia falar do medo. Ele falava coragem e eu ouvia medo. Duas semanas depois de sua chegada aos Trumai, ele presenciou uma cerimônia de cura. A mulher do chefe da aldeia estava doente e até então nenhum remédio tinha sido eficaz. Os índios decidiram fazer o ritual. Os homens se fecharam numa das casas, em torno da doente. A cerimônia era proibida às mulheres. Quando o dr. Buell tentou entrar, a irmã do chefe lhe disse que, como elas, ele morreria se pisasse ali dentro. Mas ele a ignorou e entrou assim mesmo. Houve outra ocasião em que lhe falaram da morte, deixando, porém, que tirasse as próprias conclusões. Durante uma caçada em que procuravam aves para tirar-lhes as penas, disseram-lhe que um pássaro de cabeça vermelha a que chamavam "lê" era o anúncio da morte para quem o visse. Pouco depois ele deparou com a aparição fatídica e preferiu acreditar que lhe pregavam uma peça. Não disse nada, embora no íntimo tenha ficado muito impressionado, a ponto de ter sonhado mais de uma vez com a mesma ave dali para a frente. Acordava ofegante e coberto de suor. Perguntou o que eu achava dos sonhos. E antes que eu pudesse responder, disse que os Trumai consideram os sonhos uma forma de ver dormindo. É comum que as crianças acordem aos berros no meio da noite. Seus pesadelos são estimulados pelas angústias dos pais à espera de um ataque inimigo. Numa noite, logo no primeiro mês depois de sua chegada, ele acordou com os gritos das mulheres. Todas correram, com suas crianças e redes, para um dos lados da aldeia. Ele achou que estavam sendo atacados por outra tribo. Na correria, alguém lhe disse — ou foi assim que ele entendeu — que uma mulher fora baleada. Quando assentou a poeira, descobriu que havia sido um torrão de argila que a assustara. As mulheres tinham ainda mais razões do que os homens para temer os ataques. Sabiam que um dos principais motivos da guerra era capturá-las. Os Trumai viviam num estado de terror permanente. Eu disse ao dr. Buell que alguns índios têm o costume de jogar pedras quando se aproximam das casas das fazendas, o que pode ser um sinal de amizade. Ele me respondeu que talvez tivessem realmente sido visitados naquela noite pelos Suyá, que eram temidos pela ferocidade sem igual. Segundo os Trumai, o sol criou todas as tribos, à exceção dos Suyá, descendentes das cobras. Toda a aldeia trumai quis dormir na pequena casa que construíram em uma semana para o dr. Buell, porque ele tinha uma pistola. Volta e meia lhe pediam que atirasse contra a escuridão que cercava a aldeia, para afastar os inimigos. Mesmo se a intenção dos Suyá fosse boa, o medo dos Trumai não os deixaria percebê-la como amistosa. Bastava falar nos Suyá para que os Trumai entrassem em pânico. A vida era insegurança, que sempre aumentava à noite. O menor estalido no escuro provocava verdadeiro caos. Num dia de tempestade cuja escuridão se confundiu com a noite, acometido de febre, ele sentiu o horror que afligia os Trumai. Apesar de eles não ligarem para o sobrenatural, como os Kamayurá, temiam raios e trovões. Achavam que alguém estava contrariando a chuva. Durante a primeira tempestade tropical que presenciou na aldeia, o dr. Buell recebeu a visita esbaforida de Aloari, seu assistente e cozinheiro, que vinha lhe implorar que apagasse o lampião e parasse de trabalhar, pois assim estava irritando a chuva. Foi diferente naquele dia de febre em que a tempestade fez o dia virar noite. Viu dois olhos à porta da sua cabana. Não eram os olhos fundos de Aloari, com seus lábios grossos e os cabelos desgrenhados cortados em forma de cuia. Eram olhos ardentes soltos no nada, como se boiassem na matéria viscosa da escuridão e da chuva. E ele disse apenas: "Os olhos de uma pessoa que eu conheci". Para mim, o pesadelo era imaginar a viagem de volta, os trinta e oito *dias de barco a subir os rios por terras inimigas na apreensão de flechas traiçoeiras, e depois a pé e de caminhão por quilômetros e mais quilômetros de poeira e terra. Era o que ele teria que enfrentar, deixando para trás aquele fim de mundo, embora só quisesse ficar e seguisse contrariado, coagido pelo Serviço de Proteção aos Índios a sair imediatamente das terras indígenas. Durante a viagem de volta, quando ele subia os rios, no dia 7 de novembro de 1938, um eclipse de pouco mais de uma hora fez a lua desaparecer do céu logo depois de ter surgido. Os índios que o acompanhavam disseram que não podiam prosseguir enquanto não espantassem o mal que estava comendo a lua. Primeiro, pediram que ele atirasse para o alto. Depois, dançaram e atiraram flechas para o céu. Um dos índios decidiu voltar, temendo ser assassinado pelos brancos. Por fim, o chefe ficou de pé e falou longamente com a lua, até ela reaparecer do nada.*

11. De volta a Cuiabá, Buell Quain sofreu um ataque de malária. Enquanto convalescia, escreveu a Ruth Benedict o relato da sua convivência com os Trumai: "Toda morte é assassínio. Ninguém espera passar da próxima estação das chuvas. Não é raro haver ataques imaginários. Os homens se juntam aterrorizados no centro da aldeia — o lugar mais exposto de todos — e esperam ser alvejados por flechas que virão da mata escura".

Ninguém nunca me perguntou, e por isso nunca precisei responder que a representação do inferno, tal como a imagino, também fica, ou ficava, no Xingu da minha infância. É uma casa pré-fabricada, de madeira pintada de verde-vômito, suspensa sobre palafitas para a proteção dos moradores contra os eventuais animais e ataques noturnos de que seriam presa fácil no rés do chão.

É uma casa solitária no meio do nada, erguida numa área desmatada e plana da floresta, cercada de capim-colonião e de morte. Tudo o que não é verde é cinzento. Ou então é terra e lama. Há uma estrada de terra que chega até a escada à entrada da casa mas que dali não parece levar a nenhum lugar conhecido. A maneira mais fácil de chegar é de avião, que não deve ser grande, no máximo um bimotor, para poder pousar na pista de terra aberta ao lado da casa. Do alto, quando nos aproximamos em voo rasante, é só o que vemos: a casa solitária com a pista de pouso ao lado, numa grande clareira de capim alto, cercada por todos os lados de uma floresta a perder de vista. A estrada de terra leva da casa ao campo de pouso e depois segue direto para a mata, onde desaparece, como tudo ali, à procura de um caminho — ou talvez num impulso suicida. Dizem que hoje tudo mudou e que a região está irreconhecível. A floresta tropical se transformou em campos de fazendas. A mata desapareceu, caiu e foi queimada, mas na época impunha-se como uma ameaça aterrorizante, a ponto de ser difícil para uma criança entender o que os homens podiam ter ido buscar naquele fim de mundo. A casa era a sede de uma fazenda a que chamavam Vitoriosas, se não me engano, porque o fazendeiro, o Chiquinho da Vitoriosas, justamente, como era conhecido na região, era dono de uma empresa de ônibus que levava o mesmo nome. Era a fazenda mais próxima da que o meu pai tinha decidido fundar, em 1970, no Xingu, e que batizou de Santa Cecília, em homenagem à prima com quem vivia naquele tempo e que logo o perseguiria com advogados, humilhada pelo engodo da própria paixão, para reaver o dinheiro que lhe emprestara e que ele havia enfiado naquelas terras, supostamente em gado, ao mesmo tempo que saía com outras mulheres de maneira cada vez mais descarada. A sede da Vitoriosas, suspensa no meio do nada e da floresta, era parada obrigatória quando o meu pai resolvia avaliar o estado das obras da estrada que pretendia abrir no meio da selva entre as terras do Chiquinho e a Santa Cecília, e que teria concluído não fosse o literal mar de lama que a engoliu depois da derrubada das árvores e da passagem resfolegante dos tratores, niveladoras e caminhões da civilização.

Não me lembro nem da cara do Chiquinho da Vitoriosas, mas guardei a notícia da sua morte num acidente de avião. Não sei se agora apenas imagino, mas tenho a impressão de ter visto o meu pai debruçado sobre alguém, talvez a viúva, a lhe dar esperanças, a lhe dizer que ainda havia chances de encontrarem o aviãozinho desaparecido fazia dias. Lembro de uma casa escura, de gente armada, de mulheres recolhidas e caladas, e de um céu carregado, com raios e nuvens negras, sempre que visitávamos a Vitoriosas. Isso quando o sol não estava escondido por uma névoa que fazia lembrar a atmosfera de um planeta inóspito em *Perdidos no espaço* ou em algum filme de ficção científica. Também lembro de um clima doentio dentro da casa, de gente acometida de malária e do barulho das botas sobre o chão poeirento de tábuas de madeira, por cujas frestas se via a terra vermelha do lado de fora. Entre nós, meu pai comentava que a morte do Chiquinho era resultado da imprudência de pilotos que preferiam voar baixo, entre as nuvens e a floresta, a ter de passar por dentro dos cúmulos-nimbos, pelo meio das tempestades, como ele fazia, servindo-se apenas dos instrumentos, uma vez que aqueles aviões não tinham autonomia para subir além das nuvens, por falta de pressurização. O problema de voar baixo era surgir de repente uma montanha pela frente, uma elevação inesperada do relevo, e o avião acabar se esborrachando contra as rochas e as árvores. Meu pai sempre se vangloriava de sua cautela, tanto que havia mandado pintar na fuselagem do Cessna 310 uma tartaruga — a qual chamava, como os índios, de tracajá — com uma trouxinha nas costas e os dizeres: "Devagar e sempre". Mas não era bem assim. Há várias histórias que, passado o pavor do momento, entraram para o folclore familiar e que, se não depõem contra a perícia aeronáutica do meu pai, denunciando a sua própria imprudência, também não deveriam ser vistas como prova da sua bravura, mas antes como resultado de uma dose de atabalhoamento na condução das questões aéreas. Segundo relato do meu cunhado, que uma vez vinha com o meu pai sem enxergar quase nada adiante do nariz, por dentro de um cúmulo-nimbo, um "CB", que era como ele chamava os pesadelos arroxeados em forma de catedrais no meio do céu, de repente foram pegos de surpresa por um morro mais à frente, a algumas centenas de metros, e o meu pai imediatamente arremeteu com o bimotor numa subida vertical e apavorada para fora da nuvem. Os dois saíram daquele mundo opaco e cheio de raios para dentro do céu azul e ensolarado das alturas, e foi só aí, com o coração saindo pela boca, que o meu cunhado pôde constatar o tamanho do pavor do meu pai trêmulo e calado, com a saliva gosmenta nos lábios e ressecada nos cantos da boca. Também ficou famosa a vez em que, preocupado em chegar antes das seis da tarde ao aeroporto de Cuiabá, já que seu brevê não lhe permitia pilotar à noite com instrumentos, meu pai entendeu que o operador na torre de controle falava da hora e da necessidade de se apressar, quando na realidade apenas o alertava sobre o fato de que uma das pistas estava em obras. Foi justamente para essa pista que o meu pai dirigiu o avião, na pressa de não cometer uma infração e perder o brevê. Acabou aterrissando sobre um trator num canteiro de obras esburacado, onde militares armados já o esperavam depois de verem o avião despontar no horizonte em direção à pista que a torre de controle lhe dissera para evitar. Meu pai foi preso assim que pôs os pés no chão. O avião, cheio de avarias, foi apreendido. Era início dos anos 70, e os militares chegaram a aventar a possibilidade de que, sendo área de segurança, o aeroporto estivesse sofrendo um ataque terrorista.

Eu mesmo participei, como espectador e vítima, de duas dessas histórias, sendo que a menos grave foi quando meu pai se esqueceu de fazer uma mistura de óleo, um procedimento de praxe que devia ser realizado durante o vôo, enquanto atravessávamos já fazia quase uma hora uma tempestade de granizo e raios, entre São Miguel do Araguaia e Goiânia, e o motor direito congelou. Ele estava tão tenso com a situação toda que não chegou a ver a hélice parando aos poucos, fazendo toc, toc, toc do meu lado, e fui eu que bati no braço dele, sem conseguir dizer nada, e apontei pela janela. Imediatamente, lívido, ele tratou de mexer nas alavancas ao seu lado e o motor voltou a pegar. Passou por outros apuros. Esse não foi o primeiro, nem seria o último. Eu devia ter dez anos quando presenciei um ataque de malária que ele teve ao chegar uma vez a Barra do Garças, aonde fora receber dinheiro da Sudam. Tremia descontroladamente. Achei que fosse morrer e me deixar sozinho naquele fim de mundo de onde eu mal sabia como sair. Não só não morreu, como escapou de outro ataque que acabou sofrendo enquanto pilotava sozinho o bimotor sobre a selva. E eu prefiro não imaginar o seu pavor e desespero.

Buell Quain também havia acompanhado o pai em viagens de negócios. Quando tinha catorze anos, foram a uma convenção do Rotary Club na Europa. Visitaram a Holanda, a Alemanha e os países escandinavos. E daí em diante nunca mais parou de viajar. Mas se para Quain, que saía do Meio-Oeste para a civilização, o exótico foi logo associado a uma espécie de paraíso, à diferença e à possibilidade de escapar ao seu próprio meio e aos limites que lhe haviam sido impostos por nascimento, para mim as viagens com o meu pai proporcionaram antes de mais nada uma visão e uma consciência do exótico como parte do inferno. Sempre tive que acompanhá-lo a Mato Grosso e a Goiás, porque por lei devíamos passar as férias juntos (meus pais eram separados e tinham chegado a um acordo sobre a minha guarda e o meu sustento na justiça) e ele precisava visitar as fazendas. Havia duas: uma no cerrado, entre o rio das Mortes e o rio Cristalino, na região do Araguaia, na altura de São Miguel, próxima à ilha do Bananal, e a outra no Xingu, em plena floresta virgem. A primeira viagem que fiz à floresta foi em 1967, quando tinha seis anos e meu pai ainda estava procurando uma fazenda para comprar. Era esse o objetivo da viagem. Há uma foto desbotada em que apareço ao lado dele diante do Congresso Nacional, em Brasília, onde fizemos escala antes de prosseguir para o Araguaia. Meu pai está com um terno amarfanhado pela viagem, e eu, à altura da cintura dele, mais pareço estar fantasiado de caubói para um baile de Carnaval, com colete e botas marrons. Ele articulava desde 1966, em Brasília, a compra de dois latifúndios no sertão, por meio de títulos definitivos do governo. Era um negócio da China. Não só pagou uma ninharia pelas terras, como passou a receber subsídios para o projeto agropecuário que implantou a partir de 1970. A prática foi estabelecida como programa pelo governo militar, que sob o pretexto de desenvolvimento da Amazônia não só subvencionou a compra de centenas de milhares de alqueires a preço de banana, como em seguida financiou nababescamente os projetos de ocupação pelos fazendeiros — em geral, bastava derrubar a mata, plantar capim e encher as fazendas de gado. Meu pai devia ter os contatos certos. A finalidade da viagem era achar as terras. Originalmente, pretendia se concentrar no cerrado. Acho que só depois surgiu a oportunidade do Xingu, uma miragem que ele não conseguiu recusar. Ficamos na ilha do Bananal. Na época, meu pai ainda pilotava um monomotor. Viajávamos os dois sozinhos sobre o fim do mundo, e eu me distraía a folhear um manual de primeiros socorros e sobrevivência na selva, onde se tratava dos piores horrores no caso de pouso forçado ou queda do avião, como a descrição de um peixe minúsculo que me atormentava só de imaginar que pudesse entrar pelo orifício do pênis e, uma vez instalado na uretra, abrir suas escamas ou sei lá o quê, de maneira a não poder mais ser removido, tudo com farta ilustração. O campo de pouso da ilha do Bananal ficava ao lado de uma aldeia karajá, e quem chegava era recepcionado pelos índios aculturados. Era um espetáculo deprimente. Havia naquele tempo um hotel que, segundo as más línguas, fora construído por Juscelino Kubitschek como pretexto para promover encontros com as suas amantes. A pista servia aos hóspedes. Em julho de 1967, o hotel tinha se transformado em cenário de uma fotonovela exótica da revista *Sétimo Céu*. Era um prédio moderno, de dois andares, que lembrava Brasília à beira do Araguaia. Dizem que foi abandonado pouco depois e que pegou fogo. Deve estar caindo aos pedaços, se é que ainda existe. Quando chegamos, alguns atores da fotonovela estavam sentados no bar ao lado da recepção. E entre eles estava o cacique karajá. Tentava convencer o barman a lhe dar mais um copo de uísque. O barman recusava-se e fazia troça do cacique. Os atores da fotonovela riam. Meu pai me fez o favor de anunciar que eu era bisneto do marechal Rondon por parte de mãe. Uma informação que, dali em diante, ele usaria sempre que achasse necessário, como cartão de visita, toda vez que me levava para a selva. A revelação teve um efeito quase imediato, e antes mesmo que eu pudesse entender o que estava acontecendo, o cacique bêbado já tinha ido à aldeia, tomado do próprio filho vários presentes que lhe havia dado (me lembro sobretudo de um tacape e de um cocar) e agora insistia, contra a vontade do gerente na portaria, em subir ao nosso quarto para oferecê-los a mim em sinal de boas-vindas.

Numa das cartas que nunca mandou a Margaret Mead, escrita em 4 de julho de 1939, Quain dizia o seguinte: "O tratamento oficial reduziu os índios à pauperização. Há uma crença muito difundida (entre os poucos que se interessam pelos índios) de que a maneira de ajudá-los é cobri-los de presentes e 'elevá-los à nossa civilização'. Tudo isso pode ser atribuído a Auguste Comte, que teve uma enorme influência na educação superior local e que, através do seu espetacular discípulo brasileiro, o já velho general Rondon, corrompeu o Serviço de Proteção aos Índios. Ainda não consegui estabelecer a conexão lógica, mas sei que ela existe".

Meu pai logo se engraçou com uma das atrizes da fotonovela, que no verão seguinte eu reencontraria em Petrópolis, num fim de semana em que ele apareceu para me visitar, com ela e os dois filhos (o pai deles e ex-marido da atriz também tinha uma casa de veraneio na cidade), e me comprou um forte apache de plástico para aplacar a decepção que me provocou aquele reencontro. Na ilha do Bananal, enquanto a atriz fotografava para a revista, meu pai e eu, com o meu chapéu de Jim das Selvas e um mau humor mais do que compreensível numa criança de seis anos que se vê forçada a passar os dias a rondar pela mata, de jipe e em voadeiras, sob um sol escaldante, saíamos à procura das terras que ele pretendia comprar. Houve um final de tarde em que, ao voltarmos à ilha do Bananal, toda a equipe da fotonovela e a família do gerente do hotel nos esperavam para atravessarmos o rio até uma praia paradisíaca, de areia branca, onde quem estivesse machucado (ou de calção vermelho — era esse o folclore) ficava proibido de nadar, para não atrair as piranhas. Ainda assim, havia cardumes de peixes mínimos que mordiscavam as pernas dos banhistas e que a mim os adultos disseram ser filhotes de piranha, provavelmente para me assustar. Quando não estava com o meu pai, eu brincava com o filho do gerente do hotel, que devia ser um pouco mais velho do que eu. Na ocasião, estava sendo organizada pelos irmãos Villas Bôas, no posto Leonardo do Parque Indígena do Xingu, uma confraternização entre tribos inimigas que se mantinham em estado de guerra havia anos. Os Villas Bôas tentavam atrair os índios txikão para o parque, para terror dos Waurá e Yawalapíti, que já estavam lá fazia anos. Todos esperavam um acontecimento sem precedentes, uma cerimônia que seria transformada em espetáculo exótico para uma plateia de brancos. Equipes de jornalistas e fotógrafos nacionais e estrangeiros eram esperadas no posto Leonardo, assim como autoridades militares e demais convidados, todos transportados num DC-3 da FAB. Não sei de quem foi a ideia. Fomos de penetras. Ou talvez o gerente do hotel tivesse sido convidado. Saímos da ilha do Bananal bem cedo pela manhã, no monomotor do meu pai, e seguimos rumo ao Xingu, sobrevoando a floresta e a serra do Roncador. O gerente do hotel ia na frente, no assento do co-piloto; eu e o filho dele íamos no banco de trás. Ao sobrevoarmos o posto Leonardo, vimos índios que nos apontavam e corriam para a pista. O avião da FAB já estava lá. Quando pousamos, o monomotor foi rodeado por índios, na maioria crianças que, ao verem um menino da idade delas, imediatamente começaram a me tocar e a arrancar as minhas roupas, encorajadas pelo meu pavor. Por mais que eu gritasse ou apelasse para o meu pai, ele nada podia fazer, porque também estava imobilizado, cercado de índios, e no fundo achava muito engraçado que eu estivesse sendo levado embora — era bem provável que estivesse cheio de mim e do meu mau humor. Os indiozinhos me carregaram. Era como se estivesse no meio de uma correnteza. Não adiantava resistir. Pelo que pude entender, queriam me ver nu, me deixar igual a eles. Fomos recebidos por um dos irmãos Villas Bôas, já não sei se Orlando ou Cláudio, que pediu ao meu pai que dormisse comigo no avião. Já não tinham mais onde abrigar os visitantes e temiam uma reação imprevista dos Txikão, que vinham de fora para o encontro. Apesar de baixinhos e franzinos, eram muito temidos pelos robustos índios locais. Eram considerados traiçoeiros. Atacavam as aldeias à noite e roubavam as mulheres dos grandalhões. A mulher de um dos chefes dos Txikão tinha sido roubada ainda menina de uma tribo dos Waurá. Voltava depois de anos de ausência, casada. Era possível que houvesse um confronto se a família decidisse recuperá-la. Bastou a notícia de que os Txikão estavam se aproximando para que os grandalhões pintados de urucum e com os cabelos cortados em forma de cuia, entre Yawalapíti e Waurá, debandassem apavorados. Foi uma cena grotesca. Os raquíticos vinham armados pela floresta, saíam do mato, e os grandalhões fugiam ou se agarravam uns aos outros e se escondiam atrás dos brancos. Naquela noite, eu e o meu pai dormimos, por segurança, no monomotor, e na manhã seguinte acordei completamente molhado no banco traseiro do avião. Aterrorizado com a ideia dos índios traiçoeiros e de uma onça que supostamente estaria rondando a aldeia, não tive coragem de levantar durante a noite. Não me lembro se tentei acordar meu pai. Quando fomos embora no dia seguinte, ele saiu de cuecas e relógio. Os índios ficaram com o resto. Não deixei nada meu. Estava farto daquela gente, não queria dar nada de presente a ninguém, embora tenha saído de mãos cheias, depois de receber os indefectíveis tacapes, arcos, flechas e cocares em homenagem ao meu bisavô, graças mais uma vez à intervenção do meu pai. Como sinal de despedida, ele resolveu de última hora fazer um voo rasante sobre o posto. Na minha inconsciência de criança, nem cheguei a ficar com medo. Era como se estivesse na montanha-russa de um parque de diversões. Eu pedia mais, para horror e constrangimento dos outros passageiros, o gerente do hotel e seu filho. Só me lembro de uma massa de índios correndo para todos os lados, aterrorizados, e do frio na barriga conforme descíamos de bico na direção do centro do posto. Imagino o temor controlado do gerente do hotel e a irritação dos irmãos Villas Bôas, em terra, obrigados a aturar todo tipo de gracinhas e imbecilidades dos visitantes.

A consciência do perigo só veio cinco anos depois. Eu estava com onze anos. Meu pai já tinha o Cessna 310, um bimotor. Já era proprietário de uma fazenda de sessenta mil alqueires no cerrado, ao sul da ilha do Bananal, no rio das Mortes, à qual deu o nome de Tracajá, e da Santa Cecília, com mais de vinte mil alqueires, em plena floresta virgem, a cerca de quarenta quilômetros do rio Xingu, no município de São José. O Chiquinho da Vitoriosas ainda não tinha morrido. Meu pai estava tentando abrir uma estrada da Vitoriosas até a Santa Cecília. Saímos de caminhão para examinar as obras, levando um mecânico de Goiânia para tentar consertar um dos tratores. Seguimos na caçamba de um caminhão que derrapava pelo atoleiro daquele mar de lama que chamavam com muita boa vontade de estrada e subia e descia em ondas enormes no meio da floresta. A estrada terminava numa clareira defronte de uma parede de mata virgem. Conforme nos aproximávamos, fomos aconselhados a fechar a gola e as mangas da camisa e a enfiar a bainha das calças dentro das botas. O desmatamento deixava a selva em polvorosa. Animais e pássaros gritavam por toda parte, e havia enxames de abelhas pretas, que cobriam os braços dos homens. Meu pai tinha me dito para não me mexer, tentar não me incomodar com elas e torcer para que não entrassem por baixo da camisa ou da calça. Eu só queria sair dali. O que estávamos fazendo no meio do inferno, por um trabalho inglório, que seria engolido em poucos anos? A gritaria na floresta era assustadora. Esperamos o mecânico dar um jeito no trator e voltamos para a Vitoriosas, com o objetivo de seguir de avião até a Santa Cecília. Naquela altura, a fazenda não passava de uma pequena clareira cercada de selva, com uns poucos barracos e uma pista de pouso muito vagabunda de terra. Passamos a noite numa cabana que não chegava a três metros quadrados, feita de troncos finos de árvore espetados no chão de terra batida, que sustentavam um telhado de folhas secas a menos de dois metros de altura. Havia duas camas — na verdade, dois estrados de galhos de árvores apoiados em quatro forquilhas fincadas na terra. Por entre os troncos finos que formavam as paredes, podiam entrar cobras, lacraias e escorpiões. À noite, fazia um frio do cão. Meu pai decidira partir bem cedo na manhã seguinte. Acordamos antes de o sol nascer, tomamos café e embarcamos com a bagagem. Já estava claro quando o meu pai deu a partida nos motores, mas o sol ainda não tinha despontado por trás da barreira de árvores. O para-brisa estava embaçado e coberto de orvalho. Na sua imprudência, meu pai achou que bastaria o movimento do avião correndo pela pista para desembaçar o vidro. Não foi o que aconteceu. O mecânico estava no lugar do co-piloto, e eu no banco de trás, distraído, lendo um gibi. O avião correu pela pista de terra e de repente começou a trepidar mais do que o normal. Meu pai arremeteu. Não percebi nada na hora. A ideia era irmos até a Tracajá e de lá até Goiânia, onde deixaríamos o mecânico e seguiríamos de volta para São Paulo. Mas meu pai logo avisou que, ao contrário do planejado, desceríamos na Suiá Miçu, uma fazenda gigantesca, um verdadeiro mundo, na época sob o controle acionário do Vaticano, segundo o que diziam, a meio caminho entre o Xingu e o rio das Mortes. Perguntei ao meu pai o que era aquele barulho de uma coisa estalando na cauda do avião. Ele disse que devia ter batido contra um pássaro qualquer e me mandou calar a boca. Não se falou mais durante a viagem. Só ao nos aproximarmos da Suiá Miçu, quando a pista, talvez a melhor da região, já aparecia na distância, foi que o meu pai se virou para o mecânico e para mim e anunciou que ia desligar os motores para que o combustível ficasse nos tanques na ponta das asas. Pediu que não nos preocupássemos. Recomendou ao mecânico que abrisse a porta antes de o avião tocar o solo e disse que, assim que batêssemos no chão, nós dois devíamos nos atirar, porque o avião podia explodir. Larguei o gibi e arregalei os olhos. Eu ainda não sabia o que tinha acontecido. Ao sair da Santa Cecília, quando tentava decolar, meu pai fez uma barbeiragem. Contava desembaçar o pára-brisa e não percebeu que já tinha saído da pista e entrado na floresta. Foi quando arremeteu. Já estava com o trem de pouso avariado e no meio das árvores. Os fios das antenas de rádio foram cortados pelas copas das árvores. O barulho na cauda do avião era dos fios que batiam ao vento. Por pouco não nos estraçalhamos dentro da floresta. Agora, o bimotor descia planando, com os motores desligados e o bico levantado. Não me lembro se o mecânico abriu ainda no ar a porta sobre a asa. Eu estava em pânico. O avião bateu de barriga no chão, já que o trem de pouso estava solto. A asa esquerda foi arrancada com o impacto, e acabamos entrando de bico num barranco de terra do lado esquerdo da pista. Ninguém se jogou. Ninguém se machucou. O mecânico desceu. Eu desci com as pernas bambas. Só quando já estava no chão é que comecei a chorar e a gritar, numa crise histérica, pedindo ao meu pai que saísse do avião. O mais incrível é que, na minha lembrança, ele saiu de lá sorrindo. Era um sorriso amarelo, talvez de alívio, talvez para encobrir o medo. Logo chegaram os carros do administrador da fazenda, que depois de constatar que ninguém tinha se machucado, nos convidou para almoçar, me deu um calmante e mandou um dos empregados nos levar até um povoado próximo, onde poderíamos pegar um táxi aéreo. Levamos umas quatro horas, se não mais, por uma estrada de terra, e o único avião disponível no pequeno campo de pouso era um fatídico Bonanza, com sua cauda em V, reputado pela falta de estabilidade. Nunca vomitei tanto como naquela viagem até Goiânia, onde dormi por vinte e quatro horas ininterruptas, graças em parte aos efeitos do calmante. Quando acordei, meu pai me disse que por pouco não tinha chamado um médico. Achou que eu estava morrendo. No dia em que acordei, a manchete dos jornais era a tragédia de um avião da Varig que se incendiara misteriosamente na rota de descida para Orly, matando boa parte dos tripulantes e todos os passageiros, à exceção de um. O jornal trazia as fotos das celebridades mortas. E de alguma forma associei a grande tragédia ao nosso pequeno acidente, como se houvesse alguma conexão incompreensível entre os dois. O Xingu, em todo caso, ficou guardado na minha memória como a imagem do inferno. Não entendia o que dera na cabeça dos índios para se instalarem lá, o que me parecia de uma burrice incrível, se não um masoquismo e mesmo uma espécie de suicídio. Não pensei mais no assunto até o antropólogo que por fim me levou aos Krahô, em agosto de 2001, me esclarecer: "Veja o Xingu. Por que os índios estão lá? Porque foram sendo empurrados, encurralados, foram fugindo até se estabelecerem no lugar mais inóspito e inacessível, o mais terrível para a sua sobrevivência, e ao mesmo tempo a sua única e última condição. O Xingu foi o que lhes restou".

Comecei a procurar informações sobre os Krahô pouco depois de ter lido pela primeira vez sobre o suicídio de Quain no artigo de jornal. Na madrugada de 25 de agosto de 1940, um domingo, um ano depois do suicídio do etnólogo, a aldeia em que havia passado os seus últimos meses sofreu um ataque de onze homens armados com rifles, sob o comando de dois fazendeiros, José Santiago e João Gomes, do município de Pedro Afonso, na época pertencente ao estado de Goiás, que arquitetaram a emboscada com minúcias de traição e perversidade, como vingança, para dar uma lição aos índios que roubavam seu gado. No cômputo final da chacina, que também teve por alvo outra aldeia, morreram vinte e seis índios, entre homens, mulheres e crianças. Antes de atacar, os fazendeiros ofereceram um boi à aldeia de Cabeceira Grossa, prevendo que os índios se reuniriam para dividir a carne. Era uma armadilha. Atacaram ao amanhecer, quando homens, mulheres e crianças comiam distraídos. Pegos de surpresa, os índios tentaram fugir pelo mato. Alguns passaram dias desaparecidos. Foi o caso do velho Vicente, que ainda era um rapaz e conseguiu escapar na correria. Quando visitei os Krahô, em agosto de 2001, ele me contou a sua versão da história (não havia conhecido Quain, pois estava trabalhando para os brancos, no Pará, durante os meses que o americano passou na aldeia). Mulheres foram trucidadas com crianças ao peito. Ao serem atacados, o chefe Luís Balbino ainda pediu para falar com os fazendeiros, mas foi assassinado pelos agressores, que pilharam a aldeia, levando também os objetos dados por Quain. Sob pressão do Estado Novo, os fazendeiros foram julgados e condenados, embora tenham cumprido a pena em liberdade condicional. O episódio acabou levando à delimitação do território krahô e à criação do posto indígena Manoel da Nóbrega pelo Serviço de Proteção aos Índios. Os reflexos do trauma do massacre foram imensos e podem ser detectados até no movimento messiânico que se desenvolveu entre os Krahô por volta de 1952, em outra aldeia. Um vidente, ao que tudo indica sob efeito da maconha, passou a profetizar o desaparecimento dos brancos e a transformação dos índios em civilizados, acontecimentos que lhe eram anunciados em experiências sobrenaturais pelo deus da chuva. O movimento perdeu credibilidade quando as profecias não se realizaram.

Na minha busca por informações sobre os Krahô, acabei encontrando um casal de antropólogos que, tendo estudado e vivido entre eles por mais de dois anos, decidiu criar uma organização independente de assistência aos índios, com subsídios nacionais e internacionais. Marcamos um encontro na sede da organização em São Paulo. Eu lhes contei o que procurava e, para minha surpresa, me disseram que conheceram, já idoso, um dos dois índios que acompanhavam Buell Quain na noite do suicídio.

No tempo em que viveram entre os Krahô, os dois antropólogos mais de uma vez foram abordados pelo velho João Canuto Ropkà, a lhes perguntar se não tinham ouvido falar do dr. Quain Buele, o etnólogo americano cuja morte ele havia presenciado. Demoraram para gravar o nome. Ouviam as histórias do velho sem lhe dar muita atenção, o que o deixava ao mesmo tempo espantado e contrariado com a ignorância dos brancos a respeito de um dos acontecimentos mais extraordinários e traumáticos de sua vida. Para o velho, era incrível que brancos não soubessem quem tinha sido o dr. Quain Buele, me disse o casal de antropólogos quando nos encontramos, numa sala repleta de pilhas de papéis, arquivos e de mapas com demarcações de terras indígenas espalhados pelas paredes.

Àquela altura, eu já estava completamente obcecado, não conseguia pensar em outra coisa, e como todos os que eu havia procurado antes, eles também não quiseram saber por quê. Ninguém me perguntava a razão. Eu dizia que queria escrever um romance. Diante do meu entusiasmo, que a outros podia parecer doentio e inexplicável, acho que os dois de início ficaram apenas um pouco ressabiados. Eu queria visitar os Krahô e, se possível, o local do suicídio. Eles ouviram a minha história em silêncio, trocando de vez em quando olhares que podiam ser de desconfiança ou simplesmente de cumplicidade. É possível que a princípio quisessem se assegurar das minhas intenções em relação aos índios. O antropólogo me disse que, por coincidência, estava com uma viagem marcada para Carolina. Organizava um encontro entre os representantes de vários grupos timbira daquela área — não só os Krahô, mas também os Canela e os Gavião. Disse que eu podia ir com ele, se quisesse. Tinha prometido aos Krahô levar o filho mais velho para a aldeia quando acabasse a reunião em Carolina. O rapaz, de vinte e poucos anos, sobrevivera a uma operação para resolver um problema congênito no coração. Depois de vários adiamentos ao longo da infância e da adolescência, resolveram por fim operá-lo. A cirurgia, que não era simples nem sem riscos, foi bem-sucedida, e os índios, em agradecimento, queriam comemorar o renascimento do menino, que conheciam desde pequeno.

Por uma estranha coincidência, já que a assembleia timbira acabou sendo marcada para os dias 31 de julho e 1º de agosto, a nossa ida para a aldeia teria que ficar para 2 de agosto, o mesmo dia em que Buell Quain se suicidara, sessenta e dois anos antes, quando tentava fazer o caminho inverso. O antropólogo e o filho já estavam havia alguns dias em Carolina quando cheguei, depois de um vôo com escalas em Brasília, Palmas e Araguaína, onde me esperava um motorista de táxi que não parou de falar um segundo durante o percurso de pouco mais de duzentos quilômetros, por uma estrada quase inteiramente asfaltada, que cortava o cerrado em meio a chapadas, sob o sol inclemente das duas da tarde.

Carolina é um lugar morto, como disse Quain ao desembarcar ali pela primeira vez, mas que tem a sua graça, ainda mais hoje, por ser resultado de uma tranquila decadência e abandono, como se tudo tivesse parado e sido preservado no tempo. A estrada que vem de Araguaína desemboca em frente à cidade, do outro lado do Tocantins, no que a rigor não passa de um povoado, não mais que umas poucas ruas, mas ao qual deram o nome extraordinário e inverossímil de Filadélfia. Quando o rio, caudaloso mesmo na estiagem, se abriu à nossa frente, conforme descíamos para pegar a balsa, e eu pude ver o pequeno porto na margem oposta e o estaleiro Pipes, fui imediatamente tomado por uma sensação sinistra de reconhecimento, como se eu já tivesse avistado aquela paisagem antes. Era exatamente o mesmo cenário de fundo que eu tinha visto na foto da chegada de Quain à cidade, publicada na primeira página da edição de 18 de agosto de 1939 d'*O Globo*, que noticiava com algum atraso a morte do etnólogo: "Flagrantes sensacionais do cientista suicida nas selvas do Brasil".

Quem sobe do porto tem que passar pela avenida Getúlio Vargas, uma alameda de mangueiras que termina na igreja matriz. A pousada onde me hospedei fica a poucos metros da antiga casa térrea de Manoel Perna, hoje desfigurada pelos azulejos e esquadrias de alumínio. No final da tarde, os moradores acalorados põem as cadeiras na calçada defronte das casas e ficam conversando noite adentro. Foi na casa de Manoel Perna que Buell

Quain encontrou um interlocutor atento nas noites que passou em Carolina ao desembarcar em março, e depois em sua passagem pela cidade no final de maio e início de junho, quando veio buscar cartas, dinheiro e mantimentos, e comemorar o seu aniversário. Foi para lá que a comitiva de índios se encaminhou dois meses depois, para anunciar a tragédia e entregar os pertences do morto ao engenheiro.

Mal vi o antropólogo no dia em que cheguei. Ele estava muito ocupado com os índios. Combinamos nos encontrar no dia seguinte à hora do almoço, nos arredores da cidade, onde estavam reunidos os Krahô. Ele prometera me apresentar um velho que havia conhecido Quain. Fiquei com a manhã livre para ir atrás das pistas de uma eventual investigação sobre a morte do etnólogo, algum documento que tivesse restado arquivado nos cartórios ou no fórum da cidade. Não achei nada entre os papéis que se esfacelavam como pó entre os dedos, processos de homicídios, crimes passionais e por dinheiro, brigas familiares e suicídios, esmagados em pastas empoeiradas no alto de estantes esquecidas em cômodos sem janelas, verdadeiras fornalhas nos fundos de casas antigas e térreas no meio do sertão. Perambulei pela cidade deserta. Fazia um calor de quarenta graus. Acabei na igreja matriz. A porta estava fechada, mas alguém que passava de bicicleta, ao me ver tentando entrar, sugeriu que eu procurasse o padre numa casa verde do outro lado da rua. Fui recebido por um assistente da paróquia. Perguntei se era possível visitar a igreja e subir na torre. Queria tirar uma foto panorâmica da cidade. O rapaz me deu a chave de uma porta lateral e pediu que a deixasse pendurada num prego logo à entrada da paróquia, se porventura não o encontrasse ali na minha volta, ao terminar a visita à igreja. Ele estava prestes a sair para o almoço. A nave estava em obras, e o interior da torre parecia inacabado. Havia pedaços de madeira por todos os lados. As paredes eram de tijolo aparente, sem revestimento, e havia uma escada de cimento que subia por elas, contornando o vão de cerca de dois metros de largura. Comecei a subir sem maiores problemas. Sempre senti uma certa aflição de altura, que, no entanto, nunca tinha chegado a assumir contornos de fobia. Conforme eu subia, notei que a espessura dos degraus de cimento ia diminuindo com a altura. Um trabalho porco de alvenaria. A impressão era que no alto a escada fininha não sustentaria mais o peso humano. Não havia corrimão, e eu comecei a me esgueirar pelas paredes, suando já sem saber se de calor ou de medo. Evitava olhar para o vão central e para baixo. De repente, levantar a perna para alcançar o degrau seguinte passou a ser um esforço, e aos poucos eu me vi engatinhando pelo cimento irregular. Quando por fim cheguei ao campanário, descortinou-se à minha frente uma paisagem extraordinária. Havia a avenida Getúlio Vargas, com as copas de suas mangueiras centenárias e, à direita, o Tocantins, que corria caudaloso pela mata na direção das chapadas ao longe. Volta e meia uma figura solitária passava lá embaixo, escondida sob uma sombrinha. Eu estava só. Não se ouvia nada além do vento. Nunca havia sofrido de vertigem, e era como se agora tivesse pela primeira vez a consciência da minha falta de controle sobre o meu corpo, como se uma força exterior à minha vontade pudesse me atirar de uma hora para outra de lá de cima. Em algum lugar ao sul daquela vastidão toda, estavam enterrados os restos de Buell Quain. Fiz as fotos e desci sentado pelas escadas, um degrau por vez. Devolvi a chave ao assistente do padre, que ainda estava na casa paroquial e não esperava me rever tão cedo. Não contei a ninguém sobre a minha ida à igreja. Ao meio-dia, como combinado, peguei um táxi e fui à assembleia timbira, organizada num caramanchão a dezoito quilômetros da cidade, depois de um areal à direita de quem segue pela estrada que vai para Imperatriz, num lugar chamado Urupuxete. Minha ideia era conversar com o velho Diniz, o único Krahô vivo que conhecera Quain, quando ainda era menino, e que podia me falar sobre o local em que o etnólogo fora enterrado. O velho não vivia na aldeia para onde o antropólogo estava me levando. A assembleia era a única ocasião que eu teria para entrevistá-lo.

Cheguei com os índios almoçando. O velho Diniz estava sentado num banco comprido, à extremidade de uma mesa grande em que uns vinte comiam macarrão com arroz e feijão. O filho estava a seu lado. Era um sujeito de cara marcada, alto, que o acompanhava por toda parte. Os dois estavam sem camisa, de short e sandália havaiana. Assim que o velho terminou o almoço, o antropólogo aproveitou para nos apresentar. Sentamos num canto do caramanchão e logo fomos cercados por outros índios curiosos e desconfiados. No começo, achei que já sabiam o que eu queria e estavam ali para me intimidar e dar apoio ao velho, mas aos poucos fui compreendendo que não sabiam de nada. Estavam tão curiosos quanto eu. Eram jovens, sabiam que alguma coisa séria, que podia prejudicá-los, tinha acontecido num passado remoto, mas não sabiam exatamente o quê. Se o cercavam, era ao mesmo tempo para protegê-lo e controlá-lo, para garantir que não revelaria coisa nenhuma, se é que havia algo a ser revelado. Tirei o gravador do bolso. Foi o tempo de o velho apontar para o aparelho e dizer sem a menor cerimônia: "Estou precisando de um desses". Fiquei sem ação. Olhei para o antropólogo, desamparado. Mal acabava de chegar e já não sabia como reagir. "É o único que eu tenho, e eu preciso dele para trabalhar", respondi, seguindo os conselhos que o antropólogo havia me dado sobre como agir em relação aos bens pessoais de trabalho que eu não quisesse deixar pelo caminho, já que teria de abrir mão de todos os outros que me pedissem, para não parecer grosseiro e evitar o mal-estar de eventualmente ser roubado. Mas o velho Diniz, percebendo o meu constrangimento, não se deu por vencido: "Você não entendeu. Não quero o seu gravador. Quero um igual a esse". Tentei me manter firme: "É o único que eu tenho". Ao que o velho rebateu: "Lá em São Paulo você compra um igualzinho e manda pelo correio".

A conversa mal tinha começado e já começava mal. O antropólogo veio em meu auxílio. Interrompeu aquele diálogo que de outro modo não teria fim — já que tanto eu como o velho sabíamos o que o outro estava dizendo e não queríamos entender — e perguntou ao Diniz sobre a história do "etnólogo americano", como quem não quer nada, como se aquilo tivesse lhe passado de repente pela cabeça e não fosse o motivo da minha presença ali. O início daquele encontro e a evidência da minha falta de tato me deixaram tão sem ação que não consegui ligar ou não me lembrei de ligar o gravador quando o velho Diniz respondeu: "Cãmtwỳon". O quê? Olhei para o antropólogo à cata de uma tradução e deparei com seus olhos igualmente cheios de surpresa, cumplicidade e algum entusiasmo. "É o nome!", ele me disse, excitado. "É como eles chamavam o americano." Pedi que ele repetisse. O velho repetiu, e o antropólogo escreveu no meu bloco de anotações. "O que significa?", eu queria saber. Mas ninguém sabia ao certo. O velho só repetia: "Cãmtwỳon, Cãmtwỳon". Passei o resto da viagem tentando encontrar alguém que me decifrasse o significado daquele nome. Dois dias depois, quando chegamos à aldeia, Sabino Côjam e Creuza Prumkwỳi, que entre os jovens formavam o casal mais ativo e interessado no estudo da própria língua, "os intelectuais da aldeia", como tinha brincado o antropólogo ao apresentá-los a mim ainda em Carolina, me disseram que "twỳon" queria dizer lesma, o caracol e seu rastro. O antropólogo já havia me dito que "cãm" era o presente, o aqui e o agora, mas ninguém conseguia saber o sentido da combinação daquelas duas palavras. O antropólogo me explicou que, ao contrário do que costumam pensar os brancos, os nomes dos índios nem sempre querem dizer alguma coisa e sobretudo nada têm a ver com a personalidade da pessoa nomeada. Fazem parte de um repertório e são atribuídos ao acaso. Eu teria que voltar para São Paulo sem saber o que significava aquele nome. Mas não conseguia aceitar que não revelasse alguma coisa sobre o próprio Quain, que não houvesse nenhuma relação entre o nome e a pessoa. Decidi-me por uma interpretação selvagem e um tanto moral: "Cãmtwỳon" passou a ser, para mim, ao mesmo tempo a casa do caracol e o seu fardo no mundo, a casca que ele carrega onde quer que esteja e que também lhe serve de abrigo, o próprio corpo, do qual não pode se livrar a não ser com a morte, o seu aqui e o seu agora para sempre. "Cãmtwỳon" passou a ser para mim o rastro do caracol: não adianta fugir, aonde quer que você vá estará sempre aqui. A imagem me fez lembrar um texto de Francis Ponge sobre os caracóis: "Aceita-te como tu és. De acordo com os teus vícios. Na proporção da tua medida".

"Foi Craviro quem lhe deu o nome", completou o velho.

Luís Balbino, o chefe da aldeia que seria assassinado no massacre um ano depois da morte de Quain, estava provavelmente entre os índios que posaram ao lado do etnólogo sobre a asa do hidroavião da Condor no dia da sua chegada a Carolina. Foi ele quem o levou para a aldeia. Quain comprou muita coisa em Carolina: comida, brinquedos de presente, arma e munição na loja do comerciante e fazendeiro Justino Medeiros Aires, um dos "intelectuais" a que o antropólogo havia se referido na carta que escreveu a Ruth Landes na manhã de sua partida para a aldeia. Justino tinha sido vice-presidente do Grêmio Literário Carolinense na juventude. Era dele um dos discursos em homenagem a Humberto de Campos na cerimônia a que o etnólogo assistiu em 8 de março de 1939: "Humberto, o adolescente". "Foi Justino quem deu a munição para o massacre dos Krahô", disse o velho Diniz. Ao chegarem à aldeia, Balbino indicou ao antropólogo que ficasse de início na casa de Mundico, até que erguessem uma cabana para ele. O americano falava mais com Balbino e Mundico, porque eram os que melhor dominavam o português. Mundico tinha sido levado por um pastor para Itacajá, onde fora educado antes de voltar à aldeia. Fiquei na dúvida se não era dele (do pastor ou do próprio Mundico) que Buell Quain estava falando no relatório que deixou sobre os Krahô ao mencionar "a influência de um homem particularmente sofisticado de trinta e cinco anos que ensinava danças brasileiras aos índios". Diniz era apenas um menino que acompanhava os passos do antropólogo com curiosidade. Observava tudo. A aldeia tinha se instalado fazia pouco tempo naquele lugar, que chamavam Cabeceira Grossa. Quain recenseou duzentos e dez indivíduos. No dia seguinte à sua chegada, foi ao rio tomar banho, e Diniz, que o espreitava, o viu raspar a cabeça. O etnólogo não comia com os índios e não aceitava a comida deles. Não comia beiju. Tinha o seu próprio arroz. Uma vez, ajudou num parto, deu nome ao recém-nascido e trouxe presentes. Mas não costumava participar de nada. Escrevia por dias inteiros. "Fumava feito um doido. Fumo de corda", disse o velho. Bebia? "Não. Não bebia." Tocava discos para a aldeia e cantava. Havia um menino que cantava para ele as canções da aldeia. "Chamava-se Zacarias. Está morto", disse o velho. Perguntei se ele sabia por que Buell Quain havia se matado. "Acho que ficou louco depois que recebeu umas cartas. Disse que a mulher tinha traído ele com o irmão. Daí para a frente só arrumava suas coisas, não fazia mais nada, nem falava com ninguém. Um dia disse que ia embora, não muito tempo depois de ter recebido as cartas. Contratou dois rapazes, João Canuto e Ismael — estão todos mortos —, foi até o pátio e se despediu. Saíram de manhã."

As contradições entre a versão oficial e o relato do velho Diniz dizem respeito sobretudo às datas e à sincronia dos acontecimentos. Segundo o velho, os três chegaram no final da tarde a um brejo, um lugar onde havia água, um córrego provavelmente, e o etnólogo pediu para parar. Disse que não podia seguir em frente, estava cansado demais. Achou a paisagem bonita, "um lugar encantador para a sua morada", segundo relato de Manoel Perna a dona Heloísa, com base no que os índios lhe contaram ao chegar a Carolina uma semana depois, apreensivos, e o que o representante local do Banco do Brasil, Carlos Dias, confirmou na carta que mandou para o Rio de Janeiro, com a diferença de que na versão do velho Diniz tudo teria acontecido logo na primeira noite. Se é que saíram mesmo da aldeia no dia 31, e a julgar pelos noventa quilômetros que ainda tinham pela frente até Carolina, já haviam andado três dias, contando cerca de trinta quilômetros diários. Segundo a versão oficial, o antropólogo se matou na noite do dia 2, embora em uma de suas cartas a mãe fale da morte do filho no final de uma tentativa inglória de chegar à civilização depois de quatro dias de caminhada. "Eles pousaram no mato. Ele disse que já não aguentava continuar. Os dois rapazes fizeram para ele uma barraca de palha", disse o velho Diniz. Foi aí, no final da tarde e noite adentro, que Buell Quain escreveu as últimas cartas, sempre "chorando copiosamente", segundo o relato de Manoel Perna. Entregou um bilhete a João Canuto e mandou que ele o levasse até a fazenda mais próxima. O índio obedeceu. O outro rapaz teria ficado com o etnólogo, dormindo. Também há algumas contradições internas no relato de Diniz, o que é normal para alguém que apenas ouviu a história na infância e a repete mais de sessenta anos depois sem nada ter presenciado. Segundo ele, por exemplo, Quain "foi se cortando todo, ainda de dia, descendo sangue" e depois "queimou dinheiro", enquanto escrevia suas cartas, o que o faz concluir que o antropólogo tenha ficado louco. Na versão oficial, o etnólogo teria queimado todas as cartas que recebera, não deixando nenhuma pista das supostas razões que o teriam levado ao suicídio. "Da correspondência recebida e que tanto mal lhe causou, nada disse a ninguém e nunca a revelou aos índios, e depois de lida, queimou-a, reduzindo-a a cinzas", escreveu Carlos Dias, o banqueiro de Carolina, ao prestar contas a Heloísa Alberto Torres. Quain se cortou no pescoço e nos braços. Mas se começou a se mutilar ainda de dia, como me disse o velho Diniz, como é que não foi visto pelo índio Ismael, que teria ficado ao lado dele enquanto o outro tinha ido levar seu bilhete à fazenda mais próxima? Nos relatos oficiais, Ismael estava dormindo e fugiu ao acordar e deparar com a cena dantesca de Quain todo ensanguentado. João Canuto não sabia o teor do bilhete que levava para Balduíno, proprietário da fazenda Serrinha. Balduíno tinha saído quando o índio chegou. Ninguém na fazenda sabia ler. No bilhete, o antropólogo pedia pá e enxada para cavar uma sepultura, pois queria ser enterrado ali mesmo, "no lugar onde ficasse morto". Ao voltar para o acampamento sem pá nem enxada, João Canuto o encontrou todo cortado com navalha e ensanguentado. Horrorizado, implorou ao etnólogo que parasse de se maltratar, que não fizesse aquilo, que não morresse. Ficou atônito diante do estado deplorável do jovem americano. Perguntou por que ele estava se cortando, e o tresloucado respondeu que "precisava amenizar o sofrimento, extinguir a sua dor cruciante", já não podia seguir em frente, não tinha cara para chegar a Carolina. Nenhum dos relatos deixa claro se a vergonha a que se referia em seu desespero dizia respeito ao fato hipotético de ter sido traído pela mulher ou se não podia mais encarar o mundo agora que já estava todo cortado, depois da sua tentativa intempestiva de suicídio. Como se, ao ver o índio de volta, por um lapso tivesse recuperado a consciência, depois do seu ato de loucura, e percebesse que já não podia voltar atrás. Assustado, João também fugiu. Voltou à fazenda Serrinha em busca de ajuda. Quando retornou na manhã seguinte, acompanhado pelo fazendeiro Balduíno e por outros vaqueiros, encontrou o etnólogo pendurado numa árvore arqueada, sobre uma poça de sangue. "Ele se enforcou com a corda da rede num pau grosso, inclinado, quando os índios fugiram", disse o velho Diniz. Foi enterrado ali mesmo, como havia pedido. Abriram a cova e, depois de fechada, marcaram a sepultura com talos de buriti. Nunca nenhuma polícia ou autoridade foi ao local. O corpo não foi exumado. Não há nenhum inquérito arquivado em nenhum dos cartórios ou no fórum de Carolina ou Pedro Afonso. Na delegacia de Carolina, os processos anteriores a 1980 foram queimados. Os pedidos de Heloísa Alberto Torres para que marcassem a sepultura no caso de algum dia a família querer prestar uma homenagem ao morto nunca foram atendidos. Pelo que se sabe, ninguém nunca voltou lá.

Quain não tinha nenhum irmão. Antes de viajar para Carolina, no início de agosto, tentando localizar a família de Manoel Perna, acabei achando na lista telefônica a filha mais velha, Raimunda, que vivia em Miracema do Tocantins. Ela me disse que, pelo que os índios relataram ao seu pai, a razão do suicídio de Quain tinha sido a descoberta de que a mulher o teria traído com o cunhado. Foi um choque ouvir aquilo pela primeira vez, e ainda mais quando tive em mãos a informação de que, entre as cartas que deixou ao se matar, havia uma para o marido da irmã — e nenhuma para a própria ou para a mãe. Quando relatei o caso à antropóloga que me despertara para a história com seu artigo de jornal, ela me alertou sobre o fato de os termos *irmão* e *cunhado* poderem ter, entre os índios, um sentido simbólico ou classificatório, ou seja, estar ligados à transmissão do nome, e nada terem a ver com o parentesco consanguíneo. Irmão ou cunhado, segundo ela, poderia ser apenas um amigo, alguém do círculo de relações de Quain. E eu tive de lembrar a ela que, para início de conversa, até onde nós sabíamos, não havia nenhuma mulher. Quain podia se dizer casado para alcançar seus objetivos práticos e proteger a sua vida privada (só podia ser esse o caso da menção do seu estado civil no pedido de autorização de pesquisa que enviou ao Conselho de Fiscalização das Expedições Artísticas e Científicas logo que chegou ao Brasil, assim como do que dizia aos índios, para evitar perguntas ou situações constrangedoras), mas no íntimo também podia estar se referindo a outra pessoa — e por que não à própria irmã?

Um amigo descrente a quem acabei narrando a história me diria mais tarde, rindo: "É impossível. Seria muito rodriguiano", fazendo referência às situações incestuosas das peças de Nelson Rodrigues. De fato, a sobrinha e o sobrinho de Quain nasceram em 1928 e 1932, respectivamente, o que significa que a irmã já estava casada desde a adolescência do futuro etnólogo, ou seja, o cunhado já fazia parte da família havia mais de dez anos quando Buell se matou, e dificilmente alguma novidade no comportamento dele poderia servir de motivo para o suicídio do antropólogo. A ideia de que o cunhado tivesse traído a irmã de Quain com outra mulher nessa época, ainda que não possa ser descartada, também não é das mais plausíveis, pelo menos como motivo para o suicídio. Logo após a morte de Buell, sua mãe vai passar as festas com a família da filha no Oregon, e nada parece transparecer em nenhuma de suas cartas, embora também não seja uma mulher determinada a enxergar a verdade do que a cerca ou a deixar que os outros a vejam. De qualquer jeito, é difícil pensar que tentaria se refugiar da tristeza e da solidão se aproximando da presumida causa do suicídio do filho. Não é possível que, se havia alguma coisa, nada tenha transparecido em nenhum gesto, em nenhuma palavra.

Não deixa de ser um mistério que entre as sete cartas escritas por Quain nas horas que precederam o suicídio uma fosse endereçada ao cunhado. O etnólogo não escreveu à mãe ou à irmã. Apenas aos homens da família. É possível também que fossem cartas em que pedia ao pai e ao cunhado que cuidassem da mãe e da irmã, agora que ele não poderia mais zelar por elas. Mas a ideia de uma relação ambígua com a irmã, embora imaginária, nunca mais me saiu da cabeça, como uma assombração cuja verdade nunca poderei saber.

No dia 13 de setembro de 1939, Marion Quain Kaiser, a irmã de Buell, escreveu, de Chicago, uma carta estranhíssima a Ruth Benedict. "Já que minha mãe tem se correspondido com a senhora, não senti que havia necessidade de lhe escrever. Mas a sua carta que chegou hoje endereçada à minha mãe me convenceu de que preciso esclarecer a questão do testamento de Buell, se eu puder. Em primeiro lugar, meu pai, que lhe escreveu de Seattle, logrou afastar-se mais ou menos da família ao se divorciar da minha mãe de maneira insensata no último inverno. Nunca se interessou pelo trabalho ou pelos objetivos de Buell. Temo que essa tragédia não o tenha atingido como a nós. Entretanto, o fato de Buell desejar que seus investimentos fossem repassados à senhora preocupou o meu pai, já que ele sempre se importou muito com DINHEIRO."

Mais uma vez, depois da morte de Quain, a questão era o dinheiro. Na carta que deixou para Ruth Benedict ao morrer, pedindo ao mesmo tempo que por segurança ela a desinfetasse antes de lê-la, assim como alertou dona Heloísa na carta que lhe escreveu na mesma circunstância e ocasião ("Estou com uma febre que pode ser contagiosa. Esterilize esta carta"), o etnólogo dizia: "Vou morrer. Desculpe-me por ter fracassado tão desafortunadamente no projeto brasileiro depois de tanto tê-la preocupado. Mas tenho certeza de que há males que vêm para bem. Muito trabalho ainda pode ser feito no Brasil — desejo boa sorte e todo o meu afeto a você pessoalmente. Preciso lhe pedir (me desculpe por isso) que, à exceção dos quatro mil que desperdicei no Brasil e que lhe pertencem, meu dinheiro seja entregue à minha irmã e à minha sobrinha, que estão quebradas e precisam dele. Você receberá esta carta bem depois da minha morte. Os índios estão a salvo, pelo que fico muito feliz".

A salvo de quê? Ou de quem?

Boa parte do que o etnólogo deixou vinha de um seguro. Na carta que escreveu a Benedict, Marion se mostrava irritada com a ideia de que algo em sua correspondência com o irmão o tivesse levado ao suicídio: "Não posso entender o que deu em Buell para achar de repente que eu precisava do dinheiro dele. Só espero que o relato sobre as cartas que recebera e que o deixaram transtornado seja falso. Mas a nota que ele lhe enviou dá a entender que fui eu a causa que o levou a decidir que ele seria mais útil a todos se estivesse morto. Sei que normalmente Buell não seria tão tolo. Fico doente só de pensar que alguma bobagem que eu tenha escrito possa ter desencadeado tudo. O fato de que nenhum de nós provavelmente jamais conhecerá os fatos torna ainda mais difícil nos desembaraçarmos deles. Não estou quebrada e certamente não estou desesperadamente necessitada de fundo nenhum. E Buell também sabia disso muito bem".

Marion exortava Ruth Benedict a ficar com o dinheiro e a usá-lo na pesquisa antropológica, como queria o irmão. "Pelo menos, o trabalho de Buell será publicado, e talvez outras pesquisas possam ser realizadas com o dinheiro dele." Anexou à carta um documento manuscrito em que cedia a Ruth Benedict todo o direito de beneficiária dos investimentos do irmão. "Meu pai é bem capaz de forjar um sofrimento primoroso em situações em que haja algo a ganhar. Por favor, não deixe que ele ou qualquer outra pessoa mude o rumo da lei."

Saímos de Carolina pela manhã, numa caminhonete com tração nas quatro rodas. O antropólogo ia na frente (era ele quem dirigia), ao lado de um Krahô cafuzo e de sua mulher branca, os três na cabine coberta, protegidos do sol e da poeira. Atrás, na carroceria aberta, íamos eu, o filho do antropólogo e um grupo de dez índios, entre mochilas, malas, mantimentos, sacos plásticos com pedaços de carne exposta ao sol e outras traquitanas. Eu ia em pé, em silêncio, com os olhos fixos no horizonte, já que em algum lugar vários quilômetros à nossa direita, a seguir o mapa não muito preciso ou detalhado que eu tinha trazido, ficava o túmulo de Buell Quain, esquecido no meio do cerrado, de onde o sol, os ventos e as chuvas havia muito deviam ter varrido os talos secos de buriti.

Viajamos durante cinco horas pelo cerrado, atravessando rios e areais. A certa altura, a trilha de terra começa a seguir paralela ao rio Vermelho, que no final é preciso cruzar a pé, com água acima da cintura e as malas na cabeça. Mas aí já estávamos a quinhentos metros da aldeia Nova. A aldeia inteira nos esperava na margem do rio. Ouviram o barulho do carro. Os índios ouvem tudo. O rio Vermelho é verde. Os índios costumavam beber aquelas águas, pescar e se banhar nelas, até o dia em que começaram a cair doentes, um depois do outro, e foram morrendo sem explicação. Alguns conseguiram chegar à cidade e morreram no hospital, diante da perplexidade e incompreensão dos médicos. Foi quando decidiram parar de usar a água do rio Vermelho e passaram a se banhar e beber em um córrego que passava do outro lado da aldeia e a pescar numa lagoa distante. Com o tempo, descobriram a causa do envenenamento do rio Vermelho. Um hospital, construído rio acima, em Recursolândia, estava despejando o lixo hospitalar naquelas águas. Foi o que me contaram logo que cheguei e depois ficaram me olhando calados, com olhos mendicantes, como se eu tivesse o poder de resolver alguma coisa.

Antes de sairmos de Carolina, perguntei ao antropólogo onde é que eu ficaria alojado e ele me disse que os próprios índios decidiriam ao chegarmos à aldeia. Antes mesmo de cruzarmos o rio, um dos Krahô que vinham na carroceria da caminhonete se adiantou e disse que eu ficaria na sua casa. Chamava-se José Maria Teinõ e tinha alguma coisa de guerrilheiro mexicano do começo do século XX, de bigode, pele muito escura e cabelo ondulado até os ombros. Um menino franzino com os olhos muito vivos o esperava. Era seu filho. Nunca soube o nome do menino ou a idade (devia ter por volta de dez anos), embora tenha sido ele quem de alguma forma chegou mais perto de me dizer algo próximo da verdade. Quando me dei conta, ele já tinha pegado a minha mochila pesada e atravessado o rio, com ela na cabeça e água quase até o pescoço, e depois ribanceira acima até a bicicleta que deixara no alto da margem oposta. Agia sob as ordens do pai, meu anfitrião, e apesar das minhas reclamações ao ver a cena grotesca do menino magro e franzino carregando a minha mochila e eu, um marmanjo, sem nada nas mãos. Para eles era uma maneira de nos agradar. Estávamos cercados de dezenas de índios e índias que diziam coisas que eu não entendia e riam, entre pudicos e curiosos. Do alto da margem oposta à da estrada, são uns quinhentos metros até a aldeia, formada por vinte casas de adobe e teto de palha dispostas em torno de um pátio circular. O desenho é solar, com caminhos de terra batida que ligam, como raios, o pátio central às casas. Havia poucas árvores, que eles mesmos plantaram. Estavam ali fazia apenas oito anos. A aldeia anterior tinha se desmembrado quando um grupo decidiu se mudar para a aldeia Nova e o resto, discordando do sítio escolhido, juntou-se à aldeia do Rio Vermelho, que tínhamos avistado de longe, no caminho. O sítio anterior foi abandonado por ter se tornado infértil. Não sei o quanto havia de superstição naquilo. Diziam que a terra não prestava mais. Falavam do número de índios que ali estavam enterrados. Ao me ver, a mulher de José Maria, Antônia Jàtcaprec, fez cara feia. Depois me disseram que não era nada pessoal. Parecia brava e mal-humorada. Era uma mulher muito magra, com as bochechas chupadas e os lábios finos. A minha visita significava que teriam que remanejar a ocupação da casa, liberando um dos quartos para mim. Quando entrei, senti o cheiro pestilencial do peixe seco pendurado num barbante no meio da sala. Era um cheiro que se entranhava em tudo. E que, já no segundo dia, em vez de me acostumar a ele, eu não podia mais suportar nem de longe.

Nove pessoas dormiam na casa. Como era tempo de seca, o verão deles, o casal dormia num jirau debaixo de um alpendre lateral. As crianças ficavam em redes na sala, onde também estavam pendurados os peixes secos com cheiro de podre. Sobravam mais dois quartos. Num deles, ficavam as duas filhas mais velhas com suas crianças de colo. Não entendi direito onde estavam os maridos, se é que havia. Pendurei a minha rede no outro quarto. O chão era de terra batida. As noites eram um festival de sons íntimos, roncos, peidos e choros de crianças. Na sala, os meninos nas redes se debatiam em pesadelos. Na última noite, outra filha do casal e o genro, que estavam em viagem quando cheguei, juntaram-se às duas irmãs e seus filhos de colo, amontoados no quarto ao lado do meu. E ao choro das crianças somaram-se os gemidos do sexo.

No final da tarde em que chegamos, logo depois de me instalar, saí à procura do antropólogo e do seu filho, que ficaram em outra casa. Encontrei-os de short e sandália havaiana (em Roma como os romanos), com os corpos pintados de urucum, sentados em frente à casa do pajé, Afonso Cupõ, um sujeito enorme, sempre sorrindo, com cara de bonachão, e que em geral não dizia nada mas que, no dia seguinte, bêbado, acabou me encurralando num canto e me fez prometer que lhe daria cinquenta reais antes de ir embora. Um dia depois, para minha sorte, já não se lembrava de nada. A mulher, Cajari, estava deitada numa esteira estendida no chão de terra batida. Era como se estivesse conversando com os amigos na praia. E os filhos Leusipo Pempxà e Neno Mãhi, dois homens fortes de vinte e tantos anos, ouviam a conversa em silêncio, chutando os cachorros sarnentos e esqueléticos que às vezes se aproximavam. Chutar cachorros é um dos costumes mais notáveis da vida cotidiana na aldeia, reproduzido por todos desde a mais tenra idade até a velhice. Os Krahô são a prova viva de que o cão não é o melhor amigo do homem, mas um dos bichos mais imbecis que já surgiram na face da Terra. Por mais que sejam maltratados pelos donos, que os usam para caçar, os cães não vão embora. Quando levam um chute ou uma pedrada — o que acontece sempre que se aproximam mais do que meio metro de alguém —, saem ganindo, mas logo voltam para mendigar os restos de alguma comida. Neno havia sido atropelado por um caminhão em circunstâncias um tanto nebulosas e usava uma tala plástica que lhe servia de colete ortopédico. A filha mais velha do pajé estava internada no hospício de uma cidade próxima. Tinha enlouquecido. Achei graça de ver o antropólogo e o filho pintados dos pés à cabeça. Ri deles, mas o meu riso não durou muito. Parei assim que percebi a expressão de perplexidade com que reagiram. No fundo, estavam surpresos com a minha ingenuidade. Ficaram com pena de mim. Não disseram nada. Não queriam me assustar. Aquilo era só o começo. No dia seguinte seria a minha vez.

Às sete da noite, o menino da bicicleta veio me chamar para jantar. Cada convidado comia na casa em que estava hospedado, o que significava, para meu desespero, que jantaria separado do antropólogo e do seu filho. O primeiro jantar na aldeia (um prato de arroz coberto com pedaços e o caldo do peixe seco que eu tinha visto pendurado no interior da casa) foi um anúncio. Enquanto estávamos sentados, José Maria, a mulher, as duas filhas com os netos de colo do casal, o menino da bicicleta e eu, nos fundos da casa, um tipo de quintal em torno de um fogareiro em que rescaldavam aquela subespécie seca de traíra de fundo de lagoa, Antônia me dirigiu pela primeira vez a palavra. Me entregou um prato de ágata cheio de arroz e peixe e perguntou se eu não tinha achado a aldeia feia. Ela estava infeliz de viver ali, preferia a aldeia anterior, e queria conhecer São Paulo. Eu mal ouvia, tentava mastigar a carne pestilenta do peixe, na verdade um emaranhado de espinhas e barbatanas que terminei por engolir, dizendo que estava uma delícia e pedindo a deus para não vomitar na frente dos meus anfitriões, que não ficava bem logo no primeiro dia. Respondi que a aldeia era linda. Desconversei quanto a São Paulo, perguntei o que ela queria fazer num lugar tão feio e violento. E comi o máximo que pude, o que não foi muito e logo despertou a inquietação dos meus anfitriões. Ali começava a via-crúcis da alimentação. Só consegui engolir o peixe mais uma vez, no café da manhã seguinte, já que a mesma dieta estava presente em todas as refeições. Preocupado, José Maria acabou procurando o antropólogo, porque eu só comia arroz, e foi instruído a me servir outras coisas além do peixe seco, legumes, por exemplo, que segundo o antropólogo eu adorava. No jantar seguinte, me puseram um prato de batatas-doces na frente. Confesso que por um momento cheguei a ficar contente e aliviado. Pus-me a descascar a primeira batata (havia cinco no meu prato) e dei a primeira mordida, sob os olhares ansiosos dos meus anfitriões. Minha boca se encheu de terra. Só então percebi que as batatas estavam seccionadas e tinham sido cozidas tal como foram desenterradas, com a terra que agora se entranhava na massa amolecida do tubérculo, como um bolo com camadas de chocolate. Eu mastigava as batatas e a terra e dizia: "Humm! Que delícia!", mas bastou me darem as costas para que começasse a jogar no mato quase que a totalidade do que havia no prato, para alegria dos cachorros, que na sua sanha pelos meus restos acabaram por me denunciar. "Não estava bom?", perguntou Antônia. "Estava ótimo. Mas é que não estou com fome. Não estou acostumado a comer muito. Estou precisando emagrecer", respondi, devolvendo-lhe o prato com as duas batatas que restavam intactas, ainda com casca, e que o José Maria devorou num instante.

Eu tinha levado barras de cereais para uma eventualidade dessas, as quais escondi no fundo da mochila. Logo quando cheguei e o José Maria e o filho de bicicleta se juntaram à minha volta para ver o que eu havia trazido e tirava da mochila, me adiantei e disse que tudo o que estivesse ali dentro ficaria para eles de presente quando eu fosse embora. Queria evitar todo tipo de constrangimento. Mas as barras eu escondi. Só tinha dez. No meio da primeira noite, levantei da rede pé ante pé, abri a mochila e peguei uma barra. Havia mil barulhos à noite, mas quando rasguei a embalagem, foi como se o silêncio mais absoluto tivesse baixado sobre a aldeia e só eu, com a crepitação irritante daquela embalagem, pudesse ser ouvido. Dei a primeira mordida e foi como se o barulho da minha mastigação fosse uma trovoada sem fim. Enfiei a barra inteira na boca e esperei que se dissolvesse, mordendo aqui e ali de vez em quando. No dia seguinte, ao me reunir aos meus anfitriões para o café da manhã, me perguntaram se eu tinha dormido bem, se não estranhara a rede. Enquanto me servia o bendito peixe, Antônia disse que havia ficado preocupada, achando que eu estava com frio quando me levantei no meio da noite, mas que se acalmou ao ver que eu tinha acordado para comer. Eu já não tinha escolha. Fui lá dentro, peguei as nove barras de cereais que me restavam e as trouxe para o café da manhã. Eles devoraram todas em menos de cinco minutos, repetindo "chocolate" enquanto comiam.

Entre dez da manhã e duas da tarde era impossível ficar do lado de fora. Quase não havia sombra. Resolvi me instalar na sala, debaixo do varal de peixes secos, e ler um livro. Mas a minha paz durou pouco. Primeiro, apareceu o filho mais novo do pajé, o rapaz da tala de plástico que eu vira na véspera, Neno Mãhi. Agora estava sem a tala. Veio contar a história do atropelamento. Disse que precisava de um advogado para processar o motorista do caminhão. Contou que foi atropelado e abandonado na estrada, como se tudo tivesse acontecido na véspera. O caminhoneiro fugiu, mas ele sabia quem era. Eu mal tinha chegado à aldeia. Fiquei escandalizado com a história, me solidarizei com ele. Neno disse que nunca mais ia poder trabalhar. Queria indenização. Mais tarde, quando repeti a história ao antropólogo e ele me falou que não era bem assim, entendi que, por ser o recém-chegado, eu também era o bobo da aldeia, o alvo mais fácil das histórias em que ninguém mais acreditava. Fiquei horas ouvindo aquela lenga-lenga, sem saber exatamente o que o índio queria comigo. Como ele não ia embora, chegou uma hora em que decidi voltar a ler, e depois de uns minutos, diante do meu silêncio e imobilidade, ele se levantou e saiu. O silêncio não durou mais do que uns minutos mesmo, porque aí entrou o irmão, Leusipo Pempxà. Entrou na contraluz da porta, como um vulto. Seu rosto lembrava o dos índios sul-americanos mal-encarados das aventuras do Tintim. O nariz adunco, a testa avançada sobre os olhos fundos, as faces encovadas entre os cabelos pretos e lisos que caíam até os ombros. Era difícil entender o que aquela gente queria. Leusipo perguntou o que eu tinha ido fazer na aldeia. Preferi achar que o tom era amistoso e, no meu paternalismo ingênuo, comecei a lhe explicar o que era um romance. Ele não estava interessado. Queria saber o que eu tinha ido fazer na aldeia. Os velhos estavam preocupados, queriam saber por que eu vinha remexer no passado, e ele não gostava quando os velhos ficavam preocupados. Eu tentava convencê-lo de que não havia motivo para preocupação. Tudo o que eu queria saber já era conhecido. E ele me perguntava: "Então, por que você quer saber, se já sabe?". Tentei lhe explicar que pretendia escrever um livro e mais uma vez o que era um romance, o que era um livro de ficção (e mostrava o que tinha nas mãos), que seria tudo historinha, sem nenhuma consequência na realidade. Ele seguia incrédulo. Fazia-se de desentendido, mas na verdade só queria me intimidar. Eu estava entre irritado e amedrontado. Tinha vontade de mandar o índio à puta que o pariu, mas não podia me indispor com a aldeia. Se é que havia alguma coisa a descobrir (e Leusipo a me intimidar punha ainda mais lenha nessa minha fantasia), era preciso ser diplomático. Ele queria porque queria saber a razão da minha presença na aldeia. Como na assembleia timbira em Carolina, não dava para concluir se no fundo ele sabia de alguma coisa ou se não sabia de nada e estava tão curioso quanto eu. Leusipo não dava o braço a torcer. Não sorria, não demonstrava nenhum gesto ou expressão de simpatia. Tinha um olhar impassível e determinado. O motivo da sua visita era me encurralar. Repetia: "Os velhos estão preocupados". E eu pensava comigo: "O idiota deve ter ouvido alguma coisa e resolveu tomar a iniciativa de me pedir satisfação". As minhas explicações sobre o romance eram inúteis. Eu tentava dizer que, para os brancos que não acreditam em deuses, a ficção servia de mitologia, era o equivalente dos mitos dos índios, e antes mesmo de terminar a frase, já não sabia se o idiota era ele ou eu. Ele não dizia nada a não ser: "O que você quer com o passado?". Repetia. E, diante da sua insistência bovina, tive de me render à evidência de que eu não sabia responder à sua pergunta. Não conseguia fazê-lo entender o que era ficção (no fundo, ele não estava interessado), nem convencê-lo de que o meu interesse pelo passado não teria consequências reais, no final seria tudo inventado. Fui salvo pela filha mais velha do José Maria, que devia ter por volta de dezoito anos e apareceu com uma bola besuntada de urucum nas mãos, para me pintar. Em outra ocasião, eu teria resistido como um porco diante da degola. Mas a minha contrariedade diminuiu bastante graças às circunstâncias. Ainda que a contragosto, concordei em tirar a camisa. Estava disposto a me submeter a qualquer coisa, até mesmo a ser pintado dos pés à cabeça, se fosse para me livrar do Leusipo. E, de fato, com a entrada da menina, que o ignorou e lhe deu as costas como se ele não passasse de um animal, o meu inquisidor imediatamente se levantou do banco em que tinha sentado ao meu lado (sem ter sido convidado) e se afastou, contrariado com a interrupção, saindo da casa como um cão enxotado quando o José Maria entrou para admirar a pintura que a filha me espalhava pelo corpo com as mãos oleosas e tingidas de vermelho. Acharam uma graça enorme de me ver todo vermelho. Tudo o que eu tocava também ficava vermelho: o livro que estava lendo, a bermuda, a mochila, o chapéu. O toque do urucum. Mas isso não era nada se comparado à tintura de jenipapo a que seria submetido no dia seguinte.

Daí em diante, tentei evitar o Leusipo e o irmão. Evitava ficar sozinho com qualquer um dos dois. E, quando saía para tomar banho de manhã cedo, rezava para que não aparecessem de repente. Nunca mais me amolaram. A maioria dos índios não falava comigo. Ou me ignoravam ou me observavam à distância. Podiam estar desconfiados ou simplesmente não ter nenhum interesse na minha presença. Quando se aproximavam, era ou para pedir alguma coisa ou porque estavam bêbados. Só as crianças riam de mim, e as mulheres. As crianças e as mulheres eram mais vivas. Diziam coisas entre si que eu não entendia e se divertiam. Me chamavam de branco: "Cupen, cupen". Faziam troça de mim. Aos poucos, fui descobrindo que, à exceção da minha anfitriã, as mulheres da aldeia eram muito mais espirituosas, bem--humoradas e inteligentes do que os homens que as mantinham à margem das decisões. Elas riam e contavam piadas o tempo inteiro, enquanto os homens as observavam calados, sem entender ou achar graça, incapazes de contar uma piada por conta própria, invejosos de tanta vivacidade. Eu nunca sabia quando estavam bêbados. Na verdade, quase todos ali tinham laços de sangue. Aos poucos, fui descobrindo que a aldeia Nova era praticamente uma única família, que eram quase todos irmãos e irmãs, tios e sobrinhos, e que o parentesco simbólico, classificatório, em grande parte apenas maquiava relações, se não incestuosas, pelo menos muito viciadas. Não consegui entender nem os laços de sangue nem o parentesco simbólico entre os membros da tribo. Era muito complicado, e meus objetivos não eram antropológicos. O próprio Quain teve dificuldades em entender essas relações. Eu não compreendia nada. Não sabia qual seria o próximo passo. Via coisas sendo preparadas, mas não fazia ideia do que seriam, nem do papel que a mim estava reservado naquelas cerimônias, o que só aumentava a expectativa e o temor. O antropólogo tinha comprado um porco para a festa em homenagem ao filho. Os índios preparavam um paparuto, uma espécie de bolo de mandioca recheado com banha e pedaços de porco. À tarde, enquanto eu observava o trabalho das mulheres, que estendiam folhas de bananeira pelo chão, sobre um trançado de galhos de árvore, e as cobriam com uma pasta de mandioca que vinham fazendo desde a véspera, sobre a qual iam espalhar a carne e a banha do porco, senti uma presença, uma sombra às minhas costas, uma ligeira vibração do ar, uma respiração no meu pescoço. Quando me virei, a figura fantasmagórica do velho Vicente Hintxuatyc, patriarca da aldeia e irmão classificatório de João Canuto, estava com o rosto quase encostado ao meu, como se me cheirasse, com o mesmo olhar indecifrável e ameaçador com que o Leusipo tinha me intimidado pela manhã. Tomei um susto, mas por um controle interior e uma presença de espírito que em geral não tenho, nada demonstrei além de revidar com uma expressão inquisidora. Olhei para o velho enrugado, com os cabelos grisalhos e esfiapados, e perguntei o que ele queria, como se não estivesse nem aí. Ele continuou me olhando em silêncio e se afastou sem dizer nada. Vicente era um rapaz no tempo em que Buell Quain viveu entre os Krahô, mas não chegou a conhecê-lo. Não estava na aldeia na época. Passou muito tempo entre os brancos, com idas e vindas, e só na velhice voltou definitivamente para os Krahô. Estava na aldeia durante o massacre de 1940 e escapou por pouco. De alguma forma, todos tentavam me intimidar, nem que fosse apenas para se divertirem, e aquilo só fazia aumentar o meu medo e a desconfiança sobre alguma coisa que pudessem estar realmente escondendo de mim.

O paparuto começou a ser assado naquela noite, enquanto o filho do antropólogo era preparado pelas mulheres, em segredo. No final da tarde, cortaram-lhe o cabelo à moda krahô, com duas riscas paralelas nos dois lados da cabeça e uma franjinha na testa. Pintaram seu corpo de jenipapo, espalharam uma resina pelo tronco, pelas pernas e pelos braços, e em seguida o cobriram de penas cinzentas e brancas. Ao mesmo tempo, os homens cavavam um buraco na terra para lhes servir de forno. Por volta das oito da noite, depois de terem jogado pedaços de carne e de banha de porco sobre a pasta de mandioca, as índias fecharam o paparuto com as folhas de bananeira, e os homens o carregaram até o buraco e o cobriram de pedras em brasa e de terra sob os olhares de toda a tribo, do filho do antropólogo, já paramentado, do pai, que o fotografava, e de mim. Intuí pela primeira vez com dados mais objetivos, ao ver o rapaz todo empenado e pintado de preto, que a minha hora também poderia chegar. À tarde, as mulheres já tinham tentado me pintar de jenipapo. E eu recusei, alegando que o urucum era suficiente. Elas apenas riram entre si e disseram coisas que não pude entender. A despeito da apreensão crescente, a noite foi uma das mais lindas que eu já vi. A lua cheia clareava a aldeia com um banho de luz prateada. Ninguém precisava de lanternas ou velas. Havia uma fogueira no centro do pátio, em torno da qual os homens ficaram conversando até tarde, enquanto um velho cantor krahô, que fora chamado de outra aldeia especialmente para a festa, entoava canções e era acompanhado pelas mulheres sob os olhares malemolentes dos maridos, pais e irmãos sentados no chão. Aos poucos, conforme a cerimônia avançava noite adentro, os índios foram se retirando para suas casas, até não sobrar mais ninguém no centro da aldeia além do cantor. Fui dormir por volta das onze, sabendo que o paparuto seria desenterrado antes do nascer do sol. Dormi embalado pelo canto do velho Krahô, que volta e meia retornava ao pátio central e entoava suas canções. Havia alguma coisa maravilhosa e encantadora naquele ritual. Por volta das três da manhã, ao ouvir de novo o velho cantor, resolvi me levantar e ir ver. E deparei com um dos espetáculos mais deslumbrantes da minha vida. O velho cantava sozinho no centro da aldeia imóvel e adormecida. Depois de alguns minutos, uma mulher despontava à porta de uma casa e vinha em silêncio, um vulto ao longe, por um dos caminhos que convergiam para o pátio. Era uma figura solitária, que se aproximava devagar, enrolada em panos para se proteger do frio. Ao chegar ao pátio central, ela se postava diante do cantor e passava a acompanhá-lo na canção, como se fossem uma dupla. Minutos depois, outra mulher surgia à porta de outra casa e tomava o caminho solitário que a levava ao centro da aldeia. Uma mulher depois da outra, de todas as casas, com intervalos de minutos, vinham em direção ao velho cantor e se punham enfileiradas diante dele, para acompanhá-lo, atraídas pelas canções. Ele as chamava, uma a uma, até que no centro da aldeia um coral de mulheres estava formado sob a sua liderança e a lua cheia. Conforme elas iam chegando e tomando posição no coral, as vozes cresciam e invadiam as outras casas. Lá pelas tantas, despontou de uma delas um homem com um carrinho de bebê. E pelo mesmo caminho que antes havia tomado a sua mulher, ele veio até o centro da aldeia, parou diante da mãe, já com o peito para fora dos panos, e lhe entregou a criança. Depois voltou para casa com o carrinho vazio. Os Krahô tratam as crianças com uma deferência especial. E mesmo quando as repreendem, é como se fosse só de brincadeira.

Às cinco da manhã, começaram a desenterrar o paparuto. Eu tinha voltado para a rede e fui acordado pelo movimento na casa. De todas as casas, saíam adultos e crianças em direção ao centro da aldeia, onde o paparuto seria dividido. Cada família teria o seu quinhão e voltaria para comê-lo em casa. Ainda no centro da aldeia, enquanto distribuíam as fatias do paparuto, o velho cantor gentilmente me ofereceu um pedaço. A banha do porco havia derretido durante a noite e se embebido na camada de mandioca, que agora era uma massa gordurosa sobre a qual estavam depositados os pedaços de carne de porco. Eu mordi o bolo cintilante, em que aparecia vez por outra um pelinho de porco, com a banha escorrendo pelos meus dedos, disse: "Hummm!" e devolvi a fatia. O cantor riu e perguntou se eu não tinha gostado, insistindo para que eu comesse mais. Comi o pedaço inteiro, que caiu como uma pedra no estômago vazio. Foi quando comecei a passar mal. Não comia quase nada desde que chegara à aldeia, e agora aquele naco de banha de café da manhã. Cada um pegou a sua parte e voltou para a sua casa. O sol já tinha despontado e começava a ficar quente. No pátio só restaram os cachorros sarnentos, à procura de uma sobra qualquer, lambendo a banha misturada com a terra nas folhas de bananeira. Os meus anfitriões se reuniram atrás da casa para se regalar com o paparuto. Me chamaram, mas eu disse que já não podia comer mais nada e me deitei na rede. Estava enjoado e bastava me levantar para tudo começar a girar. O meu estado era agravado pela apreensão de que, terminada a cerimônia com o filho do antropólogo, eu seria o próximo. Não tive como resistir quando as índias me cercaram à tarde para me pintar de jenipapo. A tintura do jenipapo é um líquido transparente com pedacinhos do fruto, e uma vez aplicada à pele termina por tingi-la de preto. Quanto mais maduro o jenipapo, mais escuro o resultado da pintura. Ao contrário do urucum, o jenipapo não mancha a roupa. O que não me disseram na hora, e que eu devia ter concluído, é que se não mancha a roupa é porque também não sai da pele. Não adianta esfregar com nada. O jenipapo fica na pele por um mês. Como a tintura é transparente, eu não fazia ideia dos desenhos que me pintavam por todo o corpo. Ao terminarem, me deram uma vareta de bambu no caso de eu querer me coçar ou espantar os mosquitos até a tintura secar. Sobretudo eu não devia tocar o corpo com as mãos nas primeiras doze horas, enquanto a tintura ainda estivesse ativa, para não ficar com os dedos pretos. Ao acordar no dia seguinte, eu estava todo desenhado de preto. Eram traços largos, geométricos e em zigue-zague pelo corpo. Sem que eu tivesse noção, ceder ao jenipapo tinha sido como fazer um primeiro gesto de respeito e amizade em relação aos índios. Ainda não eram oito da manhã quando vieram me chamar. Só ao chegar ao pátio é que entendi que se tratava de uma reunião para decidir a minha sorte. Apenas os homens estavam lá. Discutiam coisas na língua deles. Tentei ficar do lado do antropólogo e do seu filho, em busca de alguma tradução, mas de repente, sem que eu entendesse, formaram-se dois grupos, como dois times de futebol, e o antropólogo e o filho foram separados um de cada lado do pátio. A minha sorte se configurava a despeito de mim. Fiquei sozinho no meio. Foi quando entendi que era eu o objeto da disputa. De um lado ficava a família do verão ou da estiagem (Wakmêye), de que fazia parte o antropólogo. Do outro, a família do inverno ou da estação das chuvas (Katamye), de que fazia parte o José Maria e o filho do antropólogo. Os dois grupos alternavam-se no poder e na administração da aldeia, como dois partidos políticos. O velho cantor se aproximou de mim e disse que agora eu tinha que escolher em qual clã preferia ficar. Dos dois lados os índios gritavam coisas que eu não entendia mas que supunha significarem que se eu não escolhesse o time deles, eles me trucidavam, me esfolavam vivo, me arrancavam todos os pelos etc. Eles gritavam e riam. O José Maria gritava que eu estava na casa dele e que tinha obrigação de ficar do lado dele. Eu não sabia o que fazer. O antropólogo também gritava que me trouxera para a aldeia e eu tinha que ficar do lado dele, e foi pelo que eu covardemente acabei optando. Sempre preferi o verão, não gosto de chuva, eu tentei explicar ao José Maria, enquanto voltávamos para casa. Mas nada era suficiente para aplacar a sua decepção. "Daqui para a frente, não falo mais com você. Você me traiu. Você escolheu, agora você se vira", ele respondeu. Eu tentava me convencer de que eu era apenas o objeto de uma grande brincadeira entre eles, mas isso não ajudava em nada. No meio da tarde, os dois grupos saíram para o mato em busca de toras para a corrida. Tudo o que eu queria era não ter que participar de nada. A corrida de toras é um dos rituais mais tradicionais dos Krahô. É uma corrida de revezamento com uma tora de buriti, que deve pesar uns cinquenta quilos, nos ombros. Eu mal conseguia levantá-la do chão. Cada grupo carrega uma tora. Os índios vêm correndo de fora da aldeia, descalços pelo meio do mato, com as toras nos ombros. O primeiro grupo a atingir o centro do pátio ganha a corrida. O meu temor aumentou ainda mais quando depois da corrida, de que só vi a disputa final, já dentro da aldeia, resolvi tomar um banho no riacho e fui impedido pelos meus anfitriões: "Não! Você não pode! Hoje, você vai tomar banho no pátio". Fui correndo procurar o antropólogo para esclarecer o que me esperava. Mas ele desconversou e disse que eu ia ver, era uma festa "divertida". Voltei para casa aterrorizado, e tudo só ficou ainda pior quando o menino da bicicleta, filho do José Maria, se aproximou furtivamente de mim e conseguiu dizer apenas: "Eles estão mentindo para você". Teve que interromper pela metade o que me revelava, para logo sair pedalando e desaparecer, quando percebeu que o pai se aproximava desconfiado da cena de cumplicidade do filho comigo. A frase ficou martelando a minha cabeça. Era o mais próximo de alguma verdade a que eu tinha chegado. Eu não sabia se dizia respeito ao que preparavam para mim naquela noite ou ao que escondiam de mim sobre o passado e a morte de Quain. Em ambos os casos, era péssimo. Agora, eu estava com uma dor de cabeça terrível. Minha cabeça latejava como se estivesse prestes a explodir. Não havia meio de eu ficar sozinho com o garoto da bicicleta outra vez, para que me esclarecesse o que significava aquela frase. Eu estava febril, deitado na rede, quando no início da noite o José Maria veio me chamar para o centro da aldeia. Fui a contragosto, tonto e aterrorizado, sem saber exatamente o que me esperava e o que significava exatamente o tal banho. Por via das dúvidas, vesti um calção por baixo da bermuda. Já estava bem frio, e eu não queria ficar com as roupas molhadas. Encontrei os homens reunidos em torno da fogueira no pátio. A impressão era que todos sabiam o que ia acontecer, menos eu. O velho Vicente me chamou para sentar ao seu lado e começou a falar espontaneamente sobre Quain, que ele na verdade não conhecera. Não disse nada que eu não soubesse. Mas ao menos já não parecia desconfiado. O que me dizia não me interessava mais. Eu mal o escutava, estava trêmulo e fraco, não sei se de fome ou de medo. Finalmente, apareceu o antropólogo, e eu, que não devia estar com a aparência lá muito boa, lhe implorei para que me revelasse de uma vez por todas o que ia acontecer ali. "Você escolheu, hoje de manhã. Agora vai ser apresentado à sua família, às mulheres com quem não poderá transar", ele disse. Eu não queria ser apresentado a ninguém. Estava quase desmaiando quando apareceram as mulheres, com baldes e garrafas cheios de água. Formou-se um círculo de homens que dançavam de mãos dadas em volta da fogueira e cantavam, comandados pelo velho cantor. Eu estava tentando me proteger ao lado do antropólogo. De repente, o velho cantor me puxou para a roda de homens. Relutei, disse que estava com febre, não podia tomar um banho com aquele frio. Ele riu, disse que o banho curava a febre. Eu não tinha mais como resistir. Só pedi que antes me deixassem tirar a bermuda, a camisa e as sandálias. Bastou eu entrar de calção na roda para as mulheres se aproximarem por fora, com seus baldes e garrafas, cercando o círculo dos homens. Nós dançávamos em torno da fogueira de mãos dadas. Os índios cantavam. Eu esperava pelo pior. De repente, a roda parou e a cantoria também. Algumas mulheres com baldes e garrafas de água nas mãos se aproximaram, escolheram alguns homens e os levaram para o centro da roda, perto do fogo, onde eles abaixaram a cabeça, como numa reverência, e elas lhes despejaram os baldes e as garrafas, rindo a valer. Foi quando eu entendi o ritual, embora continuasse sem compreender a sua razão. As mulheres jogavam água nos homens a que estavam ligadas por laços de parentesco simbólico, classificatório, com os quais não podiam manter relações sexuais. O banho era uma cerimônia de explicitação e delimitação da interdição do incesto. A primeira leva de homens banhados voltou para a roda, as mulheres se juntaram às outras do lado de fora do círculo, e nós retomamos a dança e a cantoria. Quando veio a nova parada, uma das mulheres me puxou para perto do fogo, enquanto outras puxavam outros homens, e despejou um balde de água na minha cabeça. A febre passou, a cabeça parou de doer. Se era só isso, ótimo. A proximidade do fogo diminuía o frio e ajudava a secar. Tomei mais dois banhos e a roda se desfez. Estava aliviado, achei que tudo acabava ali, e já estava pronto para voltar para casa, quando o cantor me puxou de volta para o fogo. Uma nova cerimônia ia começar. O pavor voltou, e a fantasia de que em algum momento, quando eu estivesse mais distraído, quando menos esperasse, todos pulariam em cima de mim. Havia uma nova configuração em torno do fogo. Os homens formavam fileiras que começavam no centro, na fogueira, e se estendiam para fora. Já não estavam de frente para o fogo, mas de lado. Avançavam em movimentos circulares, só que agora uma fileira atrás da outra, ora no sentido horário, ora no sentido anti-horário. Formavam com a fogueira um desenho solar em que eles eram os raios. Cantavam canções comandados pelo velho cantor e morriam de rir. Eu, no meio daquilo tudo, perguntava aos índios ao meu lado o que queria dizer aquele ritual. "Você não sabe?", respondiam, e caíam na gargalhada. Só mais tarde me explicaram que cada canção contava a história de um bicho da natureza e que todas tinham fortes conotações sexuais. A cada nova canção, o movimento em torno da fogueira mudava de sentido. Nada aconteceu comigo naquela noite, mas prevendo a iminência do batizado que me preparavam (afinal, para que teriam me apresentado às mulheres da minha "família" se não fosse para me dar um nome em seguida?), procurei o antropólogo e deixei bem claro que não estava disposto a ser coberto de penas ou a ter o cabelo cortado à moda krahô e que lutaria até o final para me defender. Ele deve ter ficado surpreso com a minha reação e a falta de espírito esportivo. Só depois de ver o que aconteceria com ele no dia seguinte é que me dei conta de que talvez tivesse se entregado em sacrifício no meu lugar.

A terceira noite foi um inferno. Fazia um frio do cão e eu não arrumava posição na rede. Qualquer movimento me descobria. Quando o dia raiou, comecei a ouvir um grupo de homens cantando. Eles se aproximavam da casa. Gelei. Aproximavam-se e se afastavam e depois voltavam mais uma vez. Eu tinha certeza de que estavam atrás de mim. Vinham me pegar. Me fiz de morto. Deixei todos se levantarem e continuei na rede, fingindo que dormia. Quando por fim resolvi me levantar, a cerimônia já estava avançada. Tinham pegado o antropólogo. Ele estava coberto de penas, e os índios o carregavam nos ombros até o riacho para um batismo matinal. Era estranho que o estivessem batizando, já que ele fora batizado anos antes. Demorei a entender que ele provavelmente assumira o lugar que reservaram a mim, só para não decepcioná-los. Ele os convencera a não me batizar, temeroso de qual seria a minha reação. Quando o trouxeram de volta do riacho, ele foi cercado por homens e mulheres no centro da aldeia. Foi quando as índias começaram a fazer troça da minha covardia. A mais debochada, Gersila Kryjkwỳi, estava inconformada com a minha desfeita. Eu respondia que não me sentia à vontade para ser batizado, só estava na aldeia havia três dias, mas jurei que da próxima vez as deixaria fazer o que bem entendessem comigo. Gersila gritava que sabia muito bem que não haveria próxima vez, eu era um frouxo. Creuza Prumkwỳi sentenciou que então ela ia esperar, porque da próxima vez que eu pisasse na aldeia ia me batizar como manda o figurino, ia me arrancar cada um dos cílios, além das sobrancelhas, ia tirar sangue de mim. Todas morriam de rir. Modéstia à parte, acho que nunca se divertiram tanto às custas de um branco. Antes de irmos embora, a mulher do velho Vicente, a matriarca da aldeia, Francelina Wrãmkwỳi, a mãe de todas, uma mulher corcunda, ao mesmo tempo frágil e forte, curvada para a frente, a quem só restava esperar a morte e que me lembrou a minha avó de cento e sete anos, se aproximou para dizer que no começo tinha ficado desconfiada, mas que acabou simpatizando comigo, sabia que eu não ia esquecer os índios. Se para mim, com todo o terror, foi difícil não me afeiçoar a eles em apenas três dias, fico pensando no que deve ter sentido Quain ao longo de quase cinco meses sozinho entre os Krahô. No caminho de volta, no interior da cabine da caminhonete, o antropólogo tentou dissipar a minha desconfiança quando lhe falei do menino da bicicleta e do que me dissera furtivamente na segunda tarde, antes de ser surpreendido em flagrante delito pelo pai. O antropólogo me garantiu que eles lhe teriam dito se houvesse alguma coisa secreta a ser revelada sobre o etnólogo americano, mas ele não podia imaginar o tamanho reservado para esse segredo na minha cabeça. Na verdade, nem eu podia imaginar.

Nas cartas que escreveu para Margaret Mead no início de julho e que foram encontradas em meio ao espólio levado pelos índios para Carolina depois de sua morte, Quain reclama da dificuldade de trabalhar com os Krahô: "É muito difícil treinar nativos por aqui. A única forma de me impor a eles é ficando bravo, e então, por vinte e quatro horas, tenho todos os duzentos e dez deles aos meus pés, tentando desajeitadamente me satisfazer. Eles ignoram a ideia de se esforçar para ganhar ou receber alguma coisa, já que de hábito podem ganhar muito mais quando ficam emburrados. Venho trabalhando no último mês com um jovem (que é definitivamente um anormal, já que parece gostar de trabalhar comigo) sobre a língua. Hoje ele me comunicou que não pode mais trabalhar, pois está cheio de ser ridicularizado pelo resto da aldeia. Nem mesmo as crianças o respeitam". O velho Diniz não sabia quem poderia ter sido esse informante. Lembrava do menino Zacarias, que cantava para Quain, mas não desse homem desprezado pela aldeia quando começou a trabalhar com o etnólogo.

Assim como os índios o adotam quando o recebem na aldeia, eles esperam que você também os adote quando vão à cidade. É uma relação aparentemente recíproca, mas no fundo estranha e muitas vezes desagradável. Não é uma relação de igual para igual, mas de adoção mútua, o que faz toda a diferença: na aldeia, você é a criança deles; na cidade, eles são a sua criança. Nunca vi ninguém tratar as crianças com tanto carinho e liberdade. De volta a São Paulo, depois da minha passagem pela aldeia, comecei a receber telefonemas a cobrar. Os índios me ligavam sempre que passavam por Carolina. Pediam coisas. Em geral, dinheiro. Não faziam a menor cerimônia. Como se agora fossem meus filhos. Os pedidos não tinham fim. Agora eu era o eterno devedor. De criança eu tinha passado a pai relapso a quem finalmente é dada a chance de reparar seus erros passados e sua ausência. É difícil entender a relação. São os órfãos da civilização. Estão abandonados. Precisam de alianças no mundo dos brancos, um mundo que eles tentam entender com esforço e em geral em vão. O problema é que a relação de adoção mútua já nasce desequilibrada, uma vez que a frequência com que os Krahô vêm aos brancos é muito maior do que a frequência com que os brancos vão aos Krahô. Uma vez que o mundo é dos brancos. Há neles uma carência irreparável. Não querem ser esquecidos. Agarram-se como podem a todos os que passam pela aldeia, como se os visitantes fossem os pais há muito desaparecidos. Querem que você faça parte da família. Precisam que você seja pai, mãe e irmão. Numa das cartas a dona Heloísa depois da morte do filho, Fannie Quain dizia que os Krahô o chamavam de "grande irmão" — o que é desmentido em outros documentos — e que pediam às autoridades que lhes enviassem um substituto à altura com a maior urgência, alguém com uma alma tão boa quanto a dele. Essa relação paternalista é das mais incômodas e irritantes, e o próprio Quain sofreu esse constrangimento. Há quem tire de letra. Não foi o meu caso. Não sou antropólogo e não tenho uma boa alma. Fiquei cheio. A partir de um dado momento, decidi que não responderia mais aos recados que me deixavam, pedindo que eu ligasse sem falta na noite seguinte. A culpa provocada por essa decisão também me irritou, mas menos do que me ameaçava a ideia de que de uma hora para outra pudessem bater à minha porta. Antes de sair da aldeia, diante da minha recusa em ser batizado, Gersila se aproximou de mim, entre ofendida e irônica, e me jogou na cara que eu era como todos os brancos, que os abandonaria, nunca mais voltaria à aldeia, nunca mais pensaria neles. Jurei que não. Estava apavorado com o que pudessem fazer comigo (nada além de me cobrir de penas e me dar um nome e uma família da qual nunca mais poderia me desvencilhar). O meu medo era visível. Fiz um papel pífio. E eles riram da minha covardia. Jurei que não me esqueceria deles. E os abandonei, como todos os brancos.

Segundo o relato do velho Diniz, corroborado pela carta que Buell Quain escreveu a Ruth Benedict em 15 de setembro de 1938, o jovem etnólogo também não queria participar ou se envolver nesse tipo de relação ("Não gosto da ideia de me tornar nativo. As concessões que fazia nesse sentido, em Fiji, aqui não só são aceitas como são esperadas"), não queria outra família. Já tinha uma. Ao que parece, tinha razões de sobra para evitar os laços de parentesco. A julgar por algumas de suas últimas cartas, eles foram a razão da sua morte.

Por um momento, depois da entrevista com o velho Diniz, cheguei a suspeitar da forma incisiva pela qual os índios insistiam que o americano não sofrera de doença nenhuma. Como podiam saber? Tanto os que na época fizeram o relato da morte a Manoel Perna como agora o velho Diniz, que àquela altura era apenas uma criança, foram enfáticos em rechaçar toda e qualquer dúvida sobre uma eventual doença contagiosa, como se nesse caso eles estivessem diretamente implicados na morte do etnólogo. Nas notas que deixou sobre os Krahô, Quain se refere a "doenças introduzidas": "O estado de saúde na aldeia requer atenção urgente do governo. Além de gripes comuns, as doenças sérias são tuberculose, lepra e provavelmente sífilis. A minha incerteza quanto à sífilis se deve à ausência de manifestações avançadas da doença, tais como mal de Parkinson, ataxia ou paresia. A maioria dos sintomas que observei pode ser causada por tuberculose". Na sua obsessão, não é impossível que já visse a si mesmo por toda parte.

12. *Você quer saber o que o dr. Buell fez na aldeia. É provável que nada. E se houvesse alguma coisa, não seria dos índios que você iria arrancar uma resposta. Também não sei de nada. Mas posso imaginar, e você também pode imaginar, como imaginei a cada vez que ele me contou as suas histórias, pela intensidade da sua solidão, que na noite do suicídio ele estivesse fugindo.*

Quando voltou a Carolina, mais de dois meses depois de ter partido com os índios e mais de dois meses antes de se matar, achava-se num estado deplorável. Preferia se esconder. Disse que não confiava em ninguém. Mas não podia desconfiar de mim, tanto que me procurou. Devia se lembrar da primeira noite em que veio à minha casa, logo que chegou à cidade, quando me falou dos Trumai. Chegou sujo e sem sapatos. Estava envergonhado, intimidado pelos brancos que antes havia desprezado e aos quais já não ousava se dirigir em português, com medo de não conseguir se expressar. Eu só o ouvia. Tanto que veio à minha casa. Com os outros, preferia ficar calado. Quando me procurava, era para falar. Às vezes, quando bebia, não dizia coisa com coisa. Achava que estivessem atrás dele, que aonde fosse eles o encontrariam. Não via saídas. Eu perguntava, mas ele não me dizia quem eram eles. Me contou que tinha vivido sob vigilância no Rio de Janeiro. Queria dizer que era vigiado onde quer que estivesse. Sabiam de tudo o que fazia, por mais que se escondesse, por mais que agisse em segredo, por mais que não contasse nada a ninguém. E então se calava, bebia mais um trago e de repente retomava o que interrompera. Achava que existia uma rede de informações no Brasil. Não era só a polícia no Rio ou os inspetores do SPI na selva que o assombravam. Dizia que todos os seus passos eram observados desde que havia pisado no Brasil. Nunca vi ninguém tão só. Durante a sua estada em Carolina, vinha à minha casa no final da tarde e conversávamos noite adentro. Muitas vezes não entendi o que dizia, mas ainda assim compreendia o que estava querendo dizer. Eu imaginava. Ele só precisava conversar com alguém. Numa das vezes em que me falou de suas viagens pelo mundo, perguntei aonde queria chegar e ele me disse que estava em busca de um ponto de vista. Eu lhe perguntei: "Para olhar o quê?". Ele respondeu: "Um ponto de vista em que eu já não esteja no campo de visão". Eu poderia ter dito a ele, mas não tive coragem, que não precisava procurar, que se fosse por isso não precisava ter ido tão longe. Porque ele nunca estaria no seu próprio campo de visão, onde quer que estivesse, ninguém nunca está no seu próprio campo de visão, desde que evite os espelhos. Às vezes me dava a impressão de que, a despeito de ter visto muitas coisas, não via o óbvio, e por isso acreditava que os outros também não o vissem, que pudesse se esconder. O que eu vi, nunca falei. Fiquei à sua espera. O que eu ouvi, já não sei se foi fato ou fruto de um conjunto de imaginações, minha e dele, a começar pelas visões de que me falava. Também temia que a morte fosse, ao contrário, a descoberta do que até então não tinha conseguido ver, embora não tivesse poupado esforços para tanto, e que essa descoberta fosse ainda pior do que tudo o que o pudesse levar à morte. O certo é que, ao deixar a aldeia pela última vez, ele estava fugindo. E isso eu já lhe disse, mas repito, porque quero que guarde bem. Quando muito, haverá um lugar para uma única causa e uma única imagem na sua cabeça. Terá que aprender a se lembrar dele como um homem fora do seu campo de visão, se é que pretende vê-lo como eu o vi. Também demorei a entender o que ele queria dizer com aquilo, o que havia de mais terrível nas suas palavras: que, ao contrário dos outros, vivia fora de si. Via-se como um estrangeiro e, ao viajar, procurava apenas voltar para dentro de si, de onde não estaria mais condenado a se ver. Sua fuga foi resultado do seu fracasso. De certo modo, ele se matou para sumir do seu campo de visão, para deixar de se ver.

13. A saída de Buell Quain da aldeia pela última vez lembra uma fuga. Sua caminhada pela mata acompanhado de dois rapazes que havia contratado para guiá-lo até Carolina se parece com uma luta contra o tempo ou contra alguma coisa no seu encalço. Se estava realmente louco, e a despeito do clichê psicológico, era então uma fuga de si mesmo, do duplo que o mataria na eventualidade de uma nova crise, que se aproximava. Deve ter sentido a iminência de uma nova crise e decidido ir embora antes que fosse tarde demais. Na solidão, vivia acompanhado dos seus fantasmas, via a si mesmo como a um outro de quem tentava se livrar. Arrastava alguém no seu rastro. Carregava um fardo: Cãmtwỳon. "Toda

morte é assassínio", ele escreveu a Ruth Benedict, sobre os Trumai. "Não é raro haver ataques imaginários. Os homens se juntam aterrorizados no centro da aldeia — o lugar mais exposto de todos — e esperam ser alvejados por flechas que virão da mata escura." A aceitar a explicação da doença, no entanto, de um ponto de vista exterior e mais objetivo, esse fardo era agora o próprio corpo leproso ou sifilítico. Simplesmente não podia mais suportar o sofrimento do próprio corpo castigado pela doença. Em carta de 2 de setembro de 1939, Fannie Dunn Quain escreve a dona Heloísa em busca de uma explicação para o suicídio do filho: "Acho que ele estava doente quando voltou à aldeia em junho, pois disse que ia tentar 'aguentar até dezembro'. O mais doloroso nisso tudo é que tenha chegado a cerca de quarenta milhas do avião que o teria levado ao Rio de Janeiro, onde há recursos médicos que poderiam tê-lo salvado. Acho que tentou por quatro dias, na ânsia de voltar para casa sob o forte calor, mas acabou perdendo a luta — fico de coração partido".

Houve momentos em que, talvez por causa da inutilidade da obsessão de entender o que o guiava nas suas últimas horas, e com isso tentando entrar também na sua loucura, cheguei a cogitar que pudesse estar fugindo não só de um fantasma pessoal, mas de alguma coisa objetiva e concreta, de alguém de carne e osso. Quando nos encontramos, perguntei à antropóloga que tinha escrito o artigo no jornal se ela aventava a possibilidade de ele ter sido assassinado. E ela foi taxativa. Me disse que não havia nenhuma chance de que ele não tivesse se matado. Tudo contradizia a hipótese do homicídio, a começar pelas cartas que deixou. E eu sabia. Tanto que não insisti. Talvez Quain tivesse as suas razões para não deixar transparecer que estava correndo perigo de vida. O que eu queria dizer não fazia muito sentido, estava contaminado pela loucura dele. O que eu queria dizer era que talvez ele tivesse sido compelido ao suicídio, talvez tivesse se matado, em pânico, ao entender que não conseguiria escapar não só da culpa, mas de uma ameaça real, antes que fosse assassinado. Talvez houvesse razões para ele ser assassinado. Talvez não quisesse que essas razões viessem à tona. "Os índios estão a salvo, pelo que fico muito feliz." Talvez preferisse se matar. Tudo dependia do que tivesse feito na aldeia. Para mim, a resposta só podia estar numa das cartas que escreveu antes de morrer, as quais desapareceram com os seus destinatários. Ainda assim, me parecia pouco provável que, se houvesse uma explicação numa das cartas que o etnólogo deixou ao pai, ao cunhado ou ao missionário Thomas Young, ela pudesse não ter vindo a público. Foi quando comecei a acalentar a suposição de que devia haver (ou ter havido) uma oitava carta.

Cada um lê os poemas como pode e neles entende o que quer, aplica o sentido dos versos à sua própria experiência acumulada até o momento em que os lê. Num fim de semana na praia, durante uma noite de insônia, semanas depois de começar a investigar a morte de Quain, e o mistério que a meu ver tinha ficado adormecido por sessenta e dois anos, abri ao acaso uma antologia do Drummond na página da "Elegia 1938": "Trabalhas sem alegria para um mundo caduco,/ onde as formas e as ações não encerram nenhum exemplo./ Praticas laboriosamente os gestos universais,/ sentes calor e frio, falta de dinheiro, fome e desejo sexual./ [...] Coração orgulhoso, tens pressa de confessar tua derrota/ e adiar para outro século a felicidade coletiva./ Aceitas a chuva, a guerra, o desemprego e a injusta distribuição/ porque não podes, sozinho, dinamitar a ilha de Manhattan".

14. *Isto é para quando você vier. Ele voltou a Carolina sem sapatos. Queria passar o aniversário na cidade. Naquela noite, me falou de outra ilha. Me disse que eu não podia imaginar. Eu já não tinha imaginado antes, quando me falara da ilha onde havia pas-*

sado dez meses entre os nativos do Pacífico, já fazia quatro anos, do outro lado do mundo. Agora, já não falava da mesma. Não era a ilha em que adormecera sob as estrelas, embalado pelas histórias que um nativo lhe contava do crepúsculo à aurora, ao longo de semanas ininterruptas. Me lembro de vê-lo rindo pela primeira vez da própria história, quando chegou a Carolina, quando me falou da ilha no Pacífico, ainda na primeira noite em que bebemos juntos, fazia mais de dois meses, comentando as cutucadas que o nativo lhe dava, em vão, para mantê-lo acordado, e de como fiquei sem graça quando ele de repente parou de rir para assumir uma expressão grave e prosseguir o relato, dizendo que o nativo, diante da inutilidade das tentativas de mantê-lo desperto, terminava por se deitar ao seu lado também. Fiquei constrangido com a ideia de que pudesse pensar que eu estava cansado de suas histórias e de que, sem perceber, ele insinuasse alguma coisa ao me contar aquela. Quando o etnólogo acordava na sua ilha do Pacífico, o sol já estava alto e o contador de histórias tinha ido embora. Quando voltou a Carolina no final de maio, me mostrou orgulhoso a foto e o desenho que fizera de próprio punho, retratos de negros enormes e fortes, para que eu pudesse ter uma ideia do que me dizia. Eu não podia ter imaginado que a aldeia não ficava na praia, mas morro acima, até ele me falar da Floresta Interior, governada por um chefe que mantinha um dente de baleia pendurado no peito como símbolo de poder. Na ilha, os chefes eram sagrados, assim como tudo em que eles tocavam e todos os que os tocavam. As aldeias na costa foram aculturadas pelos invasores de outras ilhas, que por sua vez foram influenciados pelos europeus. Só os nativos do interior mantinham intacto aquilo que ele procurava: uma sociedade em que, a despeito da rigidez das leis, os próprios indivíduos decidiam os seus papéis dentro de uma estrutura fixa e de um repertório predeterminado. Havia um leque de opções, embora restrito, e uma mobilidade interna. Foi o que ele me disse. Sempre teve fascínio pelas ilhas. São universos isolados.

Arrumou o primeiro emprego com apenas quinze anos e foi trabalhar, durante as férias de 1928, como "controlador do tempo e das horas" — foi nesses termos canhestros que ele tentou me explicar, com o auxílio de gestos, a sua tarefa no canteiro de obras de uma estrada de ferro numa região inexplorada no coração do Canadá, com a poesia involuntária dos que não conhecem a língua em que tentam se exprimir. Aproveitava os dias de folga para explorar as ilhas da região, rascunhando mapas que mandava para casa no lugar de cartas e que mostravam a sua posição no mundo. Avançava por rochedos e florestas de abetos, horas a fio a desbravar regiões desérticas em sua fantasia de pioneiro solitário, a embrenhar-se na natureza até não restar outra fronteira para a sua liberdade além dos limites do próprio corpo, até nada além do corpo impedir a fusão com a paisagem em que já se dissolvera em espírito. Eram territórios que trilhava sozinho no verão ártico, infestado de mosquitos, e cujos mapas eram uma indissociável combinação da sua experiência e da sua imaginação. Assim como o que tento lhe reproduzir agora, e você terá que perdoar a precariedade das imagens de um humilde sertanejo que não conhece o mundo e nunca viu a neve e já não pode dissociar a sua própria imaginação do que ouviu. Mas não foi de nenhuma dessas ilhas que ele me falou quando voltou a Carolina descalço e humilhado no final de maio. Foi de uma outra, à qual se chegava de balsa, depois de duas horas de trem, vindo da cidade. Uma ilha que conheceu adulto. Falou de uma casa com vários quartos, todos ocupados por amigos. Já não se expressava com tristeza nem com alegria. E eu não saberia dizer que sentimentos guardava daquela lembrança. Contou de uma tarde em que, voltando de uma caminhada solitária na praia, onde abandonara os colegas, deparou com a casa excepcionalmente vazia e um homem sentado na cozinha. E que, antes de poder se apresentar, o estranho, saindo da sombra, sacou de uma máquina fotográfica e registrou para sempre o espanto e o desconforto do antropólogo recém-chegado de um pas-

seio na praia, surpreendido pelo desconhecido. Numa das noites em que veio à minha casa durante a sua passagem por Carolina, no final de maio, o dr. Buell confessou que viera ao Brasil com a missão de contrariar a imagem revelada naquele retrato. Como um desafio e uma aposta que fizera consigo mesmo. Havia sido traído pelo intruso e sua câmera. Não podia admitir que aquela fosse a sua imagem mais verdadeira: a expressão de espanto diante do desconhecido. Havia sido pego de surpresa pelo fotógrafo, antes de poder dizer qualquer coisa. E embora depois tenham se tornado amigos, por muito tempo o estranho não conseguiria tirar outra foto dele. Até irromper um dia em seu apartamento, sem avisar, decidido a fotografá-lo de qualquer jeito, depois de ter sabido que ele estava de partida para o Brasil. Queria uma lembrança do amigo antes de embarcar para a selva da América do Sul. Eu só sei que esse estranho era você.

15. Em outubro de 1939, aos sessenta e cinco anos, Fannie Quain mandou três fotos do filho para Heloísa Alberto Torres. A maior delas tinha sido feita num estúdio de Minneapolis, em 1935, antes de ele ir para Fiji. Os outros dois retratos, um de perfil e o outro de frente, foram tirados em 1937, quando Buell Quain estava trabalhando no seu apartamento, em Nova York, provavelmente nos últimos retoques dos dois livros sobre Fiji que seriam publicados após a morte dele, graças aos esforços de sua mãe e de Ruth Benedict. "Um amigo, um artista de Nova York que tinha como hobby esse tipo de coisas, fez Buell prometer que um dia o deixaria fotografá-lo. O amigo se cansou de esperar e foi ao apartamento de Buell sem lhe dar a chance de se barbear ou trocar de roupa", esclarecia a mãe, sempre tão zelosa da imagem do filho. Foram esses os retratos que o etnólogo trouxe para o Brasil e aqui deixou como lembrança, nas mãos de quem o conheceu.

Em dezembro de 1939, por ocasião do primeiro Natal depois da morte de Quain, Heloísa Alberto Torres responde à mãe do etnólogo, agradecendo as fotos: "A maior delas de início me causou uma certa surpresa, não sabia que ele tinha cabelos tão bonitos, já que os cortara tão curtos ao vir para o Brasil. Mas a expressão, embora triste, é excelente, a mesma que mantinha em suas reflexões". Era como se um diálogo forjado de autoenganos estivesse sendo tácita e mutuamente incentivado entre as duas. Alguma coisa me dava a impressão de que ambas sabiam e fingiam não saber. Na mesma carta em que agradece as fotos, no entanto, talvez para acalmar a ansiedade da mãe, dona Heloísa diz coisas que, no mínimo, contradizem uma carta estranhíssima que tinha enviado ao próprio Quain poucos meses antes do suicídio.

Dona Heloísa escreve à mãe do etnólogo: "Ele parecia tão bem-disposto e feliz quando deixou o Rio", e completa dizendo que nem os colegas de Columbia podiam imaginar tal desfecho.

Vários outros elementos desmentem a afirmação. Por exemplo: numa carta de 12 de março de 1939, Ruth Landes escreve a Ruth Benedict: "Buell partiu há cerca de uma semana para o Norte. Parecia saudável, mas no final começou a se comportar de uma maneira muito nervosa". Quando, cinco meses depois, Quain se mata, Benedict, preocupada com o efeito que a notícia poderia causar sobre Charles Wagley, isolado entre os Tapirapé, em Mato Grosso, pede ao "bom amigo" dele, Carl Withers, que lhe escreva uma carta de apoio. Withers escreve de volta a Benedict: "Fiquei muito tocado com a sua preocupação de impedir que Chuck sofresse um abalo demasiado grande com a notícia da morte do pobre Buell. Cá entre nós, a julgar pelas cartas que havia me mandado do Rio, creio que ele não deve ter ficado muito surpreso".

Mas o mais perturbador e contraditório em relação à imagem serena que dona Heloísa pretende passar à mãe de Quain sobre os últimos dias do filho no Rio de Janeiro, nem que seja apenas para acalmá-la, surge numa carta enigmática que ela própria escreveu ao etnólogo, em inglês, em 7 de maio de 1939, enquanto ele estava entre os Krahô, a pretexto de lhe propor um futuro emprego de professor no Museu Nacional:

"Eu me pergunto o que o levou a rasgar a última parte da sua carta. Antes que apareça a oportunidade de se pensar em você ficar no Brasil, gostaria que tivéssemos uma conversa séria. Temo já não poder esperar e lhe peço que me permita falar *à coeur ouvert*. Estou certa de que você não ficará magoado com nada do que vou escrever. Preciso ter total confiança em você e fico ressentida ao pensar em certas coisas que sei que você andava fazendo no Rio. Muitas vezes quis ter falado com você sobre isso. Talvez tivesse podido ajudá-lo. Estou certa de que sabe o que quero dizer. Além do mais, você não deve esquecer que, se algo desagradável ocorrer na aldeia ou mesmo nas cidades civilizadas, isso será do conhecimento do Serviço [de Proteção aos Índios], e eu receberei queixas a respeito dos meus amigos. Pode estar certo de que serei a primeira a sofrer as consequências de qualquer coisa errada. Buell, sei que você não vai levar pinga para a aldeia. Sei que não vai beber demais quando estiver em Carolina. Sei que não vai tocar em nenhuma índia. Escreva e me diga que posso confiar em você. Tenho de confessar que às vezes você me dá medo; acho-o muito instável, e temo pelo seu futuro. Gostaria de que você tivesse confiado mais em mim e me falado sobre o que andava fazendo. Espero que a sua estada no Brasil lhe faça muito bem, e acredito que quanto mais tempo ficar, melhor. Ficarei muito feliz em ajudá-lo e quero que esteja certo de que esta sua velha amiga é bem mais compreensiva com as misérias humanas do que pode parecer. Me pergunto se você vai compreender exatamente o que quero dizer, mas espero que a sua inteligência e a sua sensibilidade suplementem a minha pobreza de expressão na sua língua."

Por um tempo, quebrei a cabeça para compreender o que ela realmente estava dizendo naquela carta, o que queria dizer com "misérias humanas". Falava, em código, de uma coisa que só o próprio Quain podia saber.

Em 27 de maio, durante a sua visita a Carolina, depois de tomar conhecimento dessa carta, Quain aproveitou para responder a dona Heloísa: "A senhora tem razão quando me pede que tome cuidado com a minha reputação. Pois esteja certa de que levo uma vida sexual impecável e que a bebida está restrita a um drinque ou outro, em encontros ocasionais. Não posso trabalhar e beber ao mesmo tempo".

Em 4 de julho, menos de um mês antes de se matar, ele escreveu a Margaret Mead uma carta abruptamente interrompida, que não foi enviada: "Duvido de que em algum outro lugar no mundo existam culturas indígenas tão puras. Mas, a despeito de todas as virtudes do Xingu, gostaria de deixar o Brasil definitivamente e limitar meu trabalho a regiões...".

Na mesma carta, encontrada entre seus pertences levados pelos Krahô para Carolina, Quain reclamava das dificuldades de trabalhar com os índios no Brasil: "Acredito que isso possa ser atribuído à natureza indisciplinada e invertebrada da própria cultura brasileira. Meus índios estão habituados a lidar com o tipo degenerado de brasileiro rural que se estabeleceu nesta vizinhança — é terra marginal e a escória do Brasil vive dela. Tanto os brasileiros como os índios que tenho visto são crianças mimadas que berram se não obtêm o que desejam e nunca mantêm as suas promessas, uma vez que você lhes dá as costas. O clima é anárquico e nada agradável. A sociedade parece ter se esgarçado. Minha dificuldade aqui pode ser atribuída em grande parte à influência brasileira. O Brasil, por sua vez, sem dúvida absorveu muitas das marcas mais desagradáveis das culturas indígenas com as quais teve contato inicialmente. Um engenheiro de Carolina entra na água para se banhar do mesmo jeito peculiar dos Krahô, e também dos índios do Xingu. Ninguém no Rio de Janeiro obedece aos avisos de proibição de fumar, porque 'no Brasil não prestamos atenção a esse tipo de regulamento'. As crianças brasileiras pedem a todos os viajantes uma 'bênção'. Isso pode não ter origem indígena, mas está totalmente adequado ao temperamento dos índios. Os brasileiros se contentam em fazer seus pedidos à sorte". Quain, ao contrário, nunca pretendeu deixar ao destino a sua chance. Nem na hora da morte.

Isto foi o que ele viu. Chegou ao Rio de Janeiro às vésperas do Carnaval de 1938 e se hospedou numa pensão da rua do Riachuelo, na Lapa. O bairro era conhecido por suas "pensões do amor barato", como as definiu Luís Martins, àquela altura célebre cronista do bas-fond e da prostituição carioca. Ao pé da carta de apresentação que trazia, assinada por Franz Boas, o jovem etnólogo escreveu à mão o seu novo endereço no Rio: "B. H. Quain, 107 Rua Riachuelo (Pensão Gustavo)". Na mesma época, *Banana da terra*, filme em que Carmen Miranda foi imortalizada com bananas na cabeça enquanto cantava "O que é que a baiana tem?", entrou em cartaz no cine Metro-Passeio, no centro da cidade. O filme inspirou os foliões, que saíram às ruas da Lapa, em blocos, travestidos de baianas, com a cabeça coberta de frutas. Ainda no Carnaval de 1938, um dos principais personagens da mitologia local, expoente da malandragem, do crime e da homossexualidade do bairro, ganhou o concurso do baile do teatro República, próximo à praça Tiradentes, com uma fantasia de lantejoulas inspirada num morcego do Nordeste, de onde vinha, e daí em diante passou a ser chamado Madame Satã, por associação ao filme homônimo de Cecil B. DeMille.

* * *

16. *Isto é para quando você vier. O que eu sei é o que ele me contou e o que imaginei. Você sabe de coisas dessa ilha que eu mesmo nunca poderei saber. É só por isso que me dou ao trabalho* de contar o pouco que sei. *Se as coisas que tenho a dizer estão todas pela metade, e podem soar insignificantes aos ouvidos de outra pessoa, é porque estão à sua espera para fazer sentido. Só você pode entender o que quero dizer, pois tem a chave que me falta. Só você tem a outra parte da história. Esperei por alguns anos, mas já não posso contar com a sorte. O que eu tenho a dizer só pode fazer sentido junto com o que você já sabe. Também teria muito a lhe perguntar. Sobre as lembranças que ele guardava da ilha a duas horas da cidade, por exemplo. Ele me falou da casa na praia e eu procurei imaginar, e foi assim que vi uma construção de madeira e vidro entre as dunas na frente do mar e dois vultos numa janela do sótão ao cair de uma tarde de chuva, depois da revelação que modificou para sempre a vida de ambos. Só você pode saber do que estou falando. Só pode ter sido na casa da praia que ele lhe falou dela pela primeira vez. Se não, por que teria associado, bêbado, numa das noites em que me procurou em Carolina, o mar e a chuva à decepção que infligia aos que o amaram? Devem ter discutido sobre aquela mulher. Ele pensava que você não soubesse dela. E foi quando se revelou a traição. Pois naquela noite chuvosa você lhe disse não apenas que sabia de tudo, mas que também estava envolvido com ela. E para ele foi um choque cujas consequências você não podia imaginar. Tenho cá para mim que no fundo nada pode surpreender quem se permite ouvir nos outros a própria voz. Ele me falava de você sem me dizer o seu nome. Ele me falava do homem que o havia traído. Mas, se isso puder ajudá-lo, saiba que ele reconheceu a sua amizade. O que ele chamou de traição era no fundo o que o atormentava nos seus pró-*

prios atos. Saiba que, de um modo ou de outro, ele reconheceu que também o havia traído.

Inverteram-se os papéis: ao contrário do negro que lhe cantava as canções de uma ilha do Pacífico até adormecê-lo, e que ele não encontrava a seu lado ao acordar com o nascer do sol, foi você quem acordou sozinho no dia seguinte, quando ele deixou inadvertidamente a casa da praia pela última vez. Os dois vultos discutiram sobre uma mulher durante a noite de chuva. O que ele não sabia até então é que você também estava envolvido com ela. Suponho quais foram as suas razões. Você pensava que assim ele a abandonaria. Não queria perdê-lo. E ele sumiu. Quando você acordou, a casa estava vazia. Talvez já suspeitasse que não se veriam mais se não o procurasse, mas foi preciso ouvir a notícia de amigos comuns, descobrir que ele estava de partida para o Brasil — o que ele já devia estar programando, em silêncio, durante meses, para por fim se decidir depois daquela noite de chuva na praia —, enfim, foi preciso entender que a discussão tinha sido uma despedida, à maneira dele, para que dias depois você corresse à casa do dr. Buell na cidade, determinado a fazer os retratos que ficariam como a única lembrança dele, a marca que deixou na sua breve passagem por esta terra.

Quando, nos momentos distraídos de maior melancolia, ele falava da mulher, sem deixar claro se era a própria esposa, eu sempre a associava àquela sobre quem vocês teriam discutido na casa da praia e que teria marcado o fim de uma amizade. Eu só podia supor. Ele me falou apenas de uma mulher, do homem que o traiu e de mais ninguém, se é o que você quer saber. No começo, achei que só podia ser a mulher dele, a mesma de quem falou aos índios antes de se matar. A mulher que o teria traído e que lhe desobedecera ao aceitar um emprego num jornal da América do Norte. O estranho é que havia me dito logo na primeira noite que não era casado. Cheguei a achar que pudesse estar falando da própria esposa quando falava dela, mas só até ele me contar de uma noite na cidade quando, de *volta para casa — para dizer a verdade, não falou em casa mas em hotel —, a mulher que o acompanhava ficou tão perturbada diante da visão de uma moça pequenina no vagão em que estavam — uma moça que não chegou a vê-los entre os outros passageiros —, enfim, ficou tão atordoada, que o obrigou a descer quatro estações antes de chegarem ao destino e continuar a pé. Estava lívida como se tivesse visto um fantasma. E por mais que ele lhe perguntasse, ela não dizia nada, não revelava a razão do seu pânico. Só dias depois, ao acordar de um pesadelo no meio da noite, gritando o nome da moça pequenina que não tinha visto pelos últimos três anos e que, por uma infeliz coincidência, reaparecera como uma assombração no mesmo vagão em que ela estava com o dr. Buell, só então, enquanto ele a acalmava na cama, é que ela se viu obrigada a lhe contar o que a levara a descer às pressas daquele trem. A história datava de um tempo em que eles ainda não se conheciam, ela e o dr. Buell. A moça do trem era uma mulherzinha esdrúxula, com um nome esdrúxulo, segundo ele. Ao chegar a Nova York, vinda do sul dos Estados Unidos para estudar e vencer no mundo da música, a moça se hospedara inadvertidamente num prostíbulo, agradecida à sorte por acreditar, na mais completa ingenuidade, que era aceita numa pensão de moças. E foi ali que as duas se conheceram, a sulista recém-chegada e a veterana, que entre os índios ele chamou de esposa nos seus últimos dias. Percebendo a ingenuidade da sulista, ela se oferecera não só para lhe mostrar a condução que devia pegar até a escola de música, mas também para ser guardiã do seu dinheiro, e nem é preciso dizer que, ao dar por si, a pobre moça entendeu ao mesmo tempo que a companheira de pensão havia desaparecido com todas as suas economias e que o que acreditara ser uma pensão era na realidade um prostíbulo. As duas nunca mais se viram. Aquela que o dr. Buell chamava de mulher nunca podia ter imaginado que reencontraria a outra numa cidade tão grande, até vê-la no vagão do trem, como uma aparição, entre os outros passageiros. E foi por essa passagem* descabida e aparentemente sem nenhuma importância ou sentido, narrada com displicência, como ele costumava fazer sempre que queria revelar alguma coisa importante, que eu entendi o que ele queria dizer. Falava da mulher para que eu entendesse que andava com prostitutas.

Era ambíguo no que dizia. Desde a primeira noite, eu sabia da cicatriz na barriga, que ele só revelou aos índios, entre outras barbaridades, nas horas de desespero que precederam a sua morte, e é estranho que não a tenham visto antes, em alguma das vezes em que se banharam juntos. Disse-lhes que era consequência de uma doença antiga, uma doença que estava voltando e se resolvia na febre. Como agora a febre não vinha, era sinal de que os seus dias estavam contados, e ele preferia se adiantar ao sofrimento da morte inevitável. Na primeira noite que foi à minha casa em Carolina, em março, ao levantar a camisa num gesto impensado e compulsivo, para me mostrar a cicatriz enquanto falava dos Trumai, mencionou entre os dentes a profissão do pai, que era médico-cirurgião. Na minha lembrança horrorizada, sem que ele jamais tenha realmente dito aquilo, entendi que o meu amigo tivesse sido operado na infância pelo próprio pai.

Combinamos que eu o acompanharia a cavalo ao longo do primeiro dia de sua jornada de volta para a aldeia. A viagem era cansativa, e eu fazia o que estava ao meu alcance para ajudá-lo. Me ofereci para acompanhá-lo ao longo da primeira parte, um dia inteiro no lombo de animais. Pernoitamos no mato. Passamos a noite conversando. Talvez ele já soubesse, ou intuísse, o que estava por vir. Talvez quisesse se enganar. Os índios conheciam um brejo onde podíamos passar a noite. No final do primeiro dia, cortaram talos de buriti, construíram uma choupana que nos servisse de abrigo e fizeram fogo. Depois de comer, foram dormir, e ficamos só nós dois a conversar. O céu estava coberto de estrelas. Ele me falou de várias delas e de coisas que ouviu sobre elas no tempo em que *passou em Fiji. As estrelas não têm nenhuma importância. Os índios acreditam que sejam fogueiras acesas à noite por aldeias e índios que ficaram presos no céu, no outro mundo que nos cobre e envolve como um chapéu ou um espelho, quando lhes retiraram a escada que ligava a esfera celeste à Terra. Tanto faz o que são as estrelas para nós, para os índios ou para os nativos do Pacífico. Naquela noite, ele bebeu mais do que devia. Ficou embriagado muito depressa. Não tenho dúvida de que estava mais fraco e tinha menos resistência ao álcool. Já vinha bebendo pelo caminho. Trazia pinga contra a minha vontade. No final da tarde, teve um ataque de neurastenia com os índios, que não conseguiam construir a choupana do jeito que ele queria. Começou assim que os viu surgindo do mato com os talos de buriti, que não lhe pareciam adequados ou suficientes. Ninguém entendeu. Parecia estar falando em inglês, ter esquecido onde estava. Observei tudo em silêncio. Arrancou das mãos de um dos índios, com um safanão, a bagagem em que escondera a cachaça, quando o pobre krahô tentava acomodá-la ao pé de um embaré, a mesma bagagem que lhe havia confiado horas antes, quando não conseguira mais carregá-la. Nunca o tinha visto assim. Os índios ficaram acuados. Ele gritou com eles até se calar de repente, como se tivesse despertado aturdido de um sono profundo. Calou-se e saiu para o brejo. Quando voltou, estávamos ao redor do fogo. Voltou mais calmo. Comeu em silêncio e, assim que os índios foram dormir, me pediu desculpas. Mas foi só. Como se nada tivesse acontecido, começou a falar sobre a paisagem do lugar de onde vinha, nos Estados Unidos, que às vezes se parecia com as chapadas do cerrado que nos cercava. Continuava a beber sentado em frente ao fogo. Me disse que dona Heloísa o proibira de levar pinga para a aldeia e que por isso precisávamos terminar a garrafa ali mesmo. Tentava sorrir. Tomei alguns tragos, para não lhe fazer desfeita. Me disse que estava esperando uma carta muito importante dos Estados Unidos e me fez prometer que assim que o avião da Condor chegasse com a sua correspondência a Carolina, eu a remeteria para a aldeia pelas mãos de um portador. Prometi que mandaria o meu próprio irmão a cavalo. Não sabia, eu já disse, que naquela última correspondência vinha a sua sentença de morte. Me contou uma história que o pai cirurgião lhe contara quando foram à Europa pela primeira vez, quando ainda era adolescente, e que dizia respeito a um navio assombrado que jamais conseguia chegar ao porto e percorria os mares, à deriva, desde tempos imemoriais. A cada vez que cruzavam outros navios, os membros da lúgubre tripulação se aproximavam em botes para implorar aos marinheiros das outras embarcações que levassem pacotes de cartas para terra firme. Ao chegarem aos portos de destino, porém, os marinheiros descobriam sempre que as cartas eram endereçadas a homens que ninguém conhecia ou que já estavam mortos fazia muito tempo. O dr. Buell também me falou de ter visto uma vez, em suas andanças pelo Rio de Janeiro, entre a Lapa e o Catete, um templo de colunas em cujo portão estava inscrita a frase: "Os vivos são sempre e cada vez mais governados pelos mortos". Perguntou se eu já tinha pensado naquilo, se eu fazia ideia do que aquilo queria dizer. Perguntou se eu já estivera no Rio de Janeiro durante o Carnaval. Estava cada vez mais bêbado. Eu também não estava sóbrio. E nem sei tudo o que ouvi. Imaginei o seu sonho e o seu pesadelo. Me disse que chegou ao Rio no Carnaval de 1938 e que conheceu, num bloco de rua, uma negra alta e vistosa, fantasiada de enfermeira. Vestia uniforme branco, chapéu branco e sapatos brancos, que realçavam a sua pele de breu, cintilante de suor. Ele mal falava português. Não entendia nada do que ela lhe dizia. Estava bêbado. Levou-a para o seu quarto de pensão, dormiram juntos, mas quando acordou no dia seguinte, ela já não estava lá, como o contador de histórias de Fiji, que o abandonava antes do nascer do sol, e no lugar da enfermeira havia um homem na sua cama, um negro forte e nu, como o nativo dos retratos que me mos-*

trara. Já não se lembrava de nada do que acontecera, nem de como aquele homem tinha ido parar ali. Ele se exprimia por denegações.

Isto é para quando você vier. Entre as canções, lendas e histórias que o negro lhe contara debaixo das estrelas da sua ilha no Pacífico, do outro lado do mundo, houve uma que o dr. Buell deixou para me relatar na noite em que nos separamos. Era a história de um chefe de Vanua Levu que, às vésperas de visitar outra aldeia, ouviu falar de um homem que seduzia todas as mulheres que por ali passavam. Com a intenção de pregar-lhe uma peça, antes de chegar à aldeia, pediu a seus antepassados que lhe dessem a aparência de uma mulher. Entrou no rio e uma enguia fez dele uma moça. Seguiu para a aldeia e, ao chegar, logo foi abordado pelo sedutor, que o convidou a dormirem sob o mesmo teto. O chefe em forma de mulher rechaçou todas as investidas e propostas, até o sedutor, contrariado, e à falta de outros recursos, terminar por lhe pedir em casamento. No dia seguinte, enquanto o chefe em forma de mulher fingia estar se arrumando, o homem tentou seduzi-lo de novo. Mas, dessa vez, o chefe não ofereceu resistência. Quando o sedutor subiu em cima dele, os dois pênis eretos se tocaram e o sedutor fugiu envergonhado, perseguido pelo chefe, que agora exigia que dormissem juntos. Ao terminar a história, o dr. Buell virou-se para mim, sorriu e disse que estava muito doente. Depois balbuciou entre os dentes alguma coisa que eu entendi como: "Toda morte é assassínio", mas ainda sem compreender o que ele podia estar querendo dizer com aquilo, e caiu no sono como se tivesse desmaiado. Também dormi pesado naquela noite. Tanto que, quando acordei no dia seguinte, sem saber o que tinha ouvido, se ele havia me pregado uma peça ou se falara a sério, o dr. Buell e os índios já estavam preparados para a partida. Tomavam café. Havia deixado para me contar tudo na última noite, entre um trago e outro, a caminho da aldeia, enquanto os índios dormiam. Era a herança que ele me deixava para o meu caminho de volta, sozinho com os cavalos. Pois dali em diante ele e os índios seguiam a pé e eu voltava para Carolina só, levando comigo o que ele me dissera a ecoar no fundo da cabeça. Ao vê-lo partir com os índios pela manhã, virando-se para trás, a me acenar com a mão pela última vez antes de desaparecer entre os arbustos, não queria imaginar, embora por um momento o pensamento tivesse me passado pela cabeça, que nunca mais nos veríamos, que aquela era a nossa despedida.

17. Em fevereiro de 1939, aos trinta e sete anos, o antropólogo franco-suíço Alfred Métraux, especialista em América Latina, encontrou Charles Wagley a bordo do navio que o trazia de Nova York para o Rio de Janeiro. Em Barbados, os dois travaram conhecimento e passearam por Bridgetown. De volta ao navio e ao mar, Wagley contou a Métraux a história da sua vida. Tinha um irmão deficiente. O menino de quinze anos tinha corpo de onze. Wagley estava decidido a dar parte de suas economias para tentar curar o irmão menor, que ele adorava. Em contrapartida, parecia não gostar da mãe. Contou que foi dançarino de cabaré, professor particular, que trabalhou em restaurante. Dizia não se sentir à vontade com as falhas na sua educação. A confissão comoveu o antropólogo suíço, que até então havia deplorado a "simplicidade enfadonha" do jovem colega americano. "Também fiquei impressionado com a maneira desprendida como ele fala da pederastia. Ele próprio confirma a impressão que tive a respeito desse assunto. Ele me relata seus sucessos amorosos: novo mergulho nos arcanos da vida americana", escreveu em seu diário.

Ao desembarcar no Rio, em 9 de fevereiro, Métraux fez uma visita a Heloísa Alberto Torres em seu escritório na capela da imperatriz do Museu Nacional. O prédio estava caindo aos pedaços. Em suas anotações, o antropólogo suíço relatou o seu encontro com um homem misterioso chamado "Cowan", sobre quem não há registros em nenhum outro lugar: "Rosto enérgico, traços regulares e bem delineados, um ligeiro ardor, ombros largos".

De volta ao hotel Belvedere, em Copacabana, Métraux jantou com uma americana que viera no mesmo navio e com quem ele vinha flertando fazia dias. A eles se juntaram Wagley e "Cowan". É nessa passagem do diário que a identidade do misterioso personagem por fim se revela, por dedução: "Cowan nos relata sua viagem ao Xingu, e depois se estende sobre o tema da sua sífilis. Na franqueza brutal do seu discurso, nas brincadeiras que ele faz sobre a sua própria condição, creio descobrir uma bravata desesperada. Cowan está muito bêbado e enche a sala com o trovão da sua voz. Wagley o acalma com 'psit, psit' delicados e gentis". Fica óbvio que, ao ser apresentado a Quain, o franco-suíço não entendeu o nome do jovem etnólogo americano. Quain, Cowan. No jantar da noite seguinte, Wagley lhe pareceu muito deprimido.

Em 1947, em nova passagem pelo Rio, Métraux jantou com Bernard Mishkin, jovem antropólogo da Universidade de Columbia, que ele considerava rancoroso, pretensioso e fofoqueiro. Mishkin aproveitou a ocasião para lhe contar sobre a juventude de Wagley: "Mãe divorciada, infância pobre e negligente". Em seguida, deu a ficha completa de Quain, morto havia oito anos: "Filho de pai alcoólatra, mas rico, e de mãe neurótica e dominadora. Obriga-se à homossexualidade com negros, dos quais ele tem horror. Garoto de talento, poeta". Métraux não se conteve em suas notas: "Como caluniador, não há ninguém melhor do que Mishkin".

18. *O que ele queria dizer era outra coisa. Não sei se você se dá conta das consequências do que ele me contou, do que aquilo podia provocar se chegasse aos ouvidos das autoridades. Imaginariam o*

pior, tudo seria pretexto para concluir que ele teria cometido atos na aldeia que, contrários à natureza humana, justificavam que os índios o matassem. O mais fácil era perseguir os índios. Você não pode imaginar a responsabilidade que ele me pôs nos ombros: por vias tortas, me deixou a incumbência de fazer chegar às mãos dos destinatários as cartas que escreveu à beira da morte, como os marinheiros que levavam a correspondência dos mortos para terra firme, na história do navio assombrado que me contou naquela noite. Ele só não podia imaginar o tamanho do meu medo. Não podia imaginar que, por temor, eu acabaria preferindo a segurança de guardar uma das cartas a correr o risco de enviá-la. Por pura desconfiança. O que ele me contou com displicência diante do fogo, entre uma história e outra, tornava os índios suspeitos de um crime presumido de vingança ou autodefesa. Você não pode entender o que eram aqueles tempos ou o que é este país, um mundo absurdo gerido pela desconfiança. Tente me desculpar. Tudo me levava a crer que a carta que ele lhe deixou ao morrer podia revelar a verdade, qualquer que ela fosse. A verdade e a mentira não têm os sentidos que o trouxeram até aqui. E eu não podia me arriscar. Era a única coisa que eu não podia deixar vir à tona. Se os índios temiam tanto ser acusados, não era certamente porque o mataram, mas porque podiam ter razões para tanto. Embora nada tenham feito e ele tenha sido bastante enfático e magnânimo para deixar isso bem claro. Ele se matou para que não pairassem dúvidas sobre a sua morte. E para inocentá-los, porque só a sua existência — e a sua presença na aldeia — já os incriminava. Foi o que terminou por entender na sua loucura. Entre as cartas que deixou, só estavam fechadas as que endereçara ao pai, ao cunhado e a você. As outras não isentam apenas os índios de toda responsabilidade; elas eximem o etnólogo da própria culpa e o põem acima de qualquer suspeita. O suicídio elimina não apenas a hipótese do homicídio, mas os motivos de quem tivesse razões para matá-lo, um pai ou uma mãe vingando o filho, um marido vingando a mulher, irmãos vingando um irmão. Saem todos honrados. São todos inocentes. Estou certo de que o que ele me contou aos poucos, ao longo daquelas nove noites, foi uma confissão, mas de alguma coisa além do que parecia confessar. Foi a preparação da sua morte. Não acho que tenha feito nada. O que ele queria me dizer é que era capaz de fazer e que já não podia se controlar. Sempre foi muito ambíguo no que dizia. Não me resta outra opção. Decidi dar um fim a esta carta que lhe pertence e cujo conteúdo desconheço, em parte por ignorância, em parte por precaução (não podia pedir a ninguém que a traduzisse), e que até agora tinha guardado com o único intuito de protegê-los, a ele e aos índios, fazendo-a chegar intacta ao seu destinatário. Só podia entregá-la em mãos. Foi a herança que ele me deixou. Sou um homem sob suspeita desde que me destituíram do cargo de responsável do posto Manoel da Nóbrega. Desde então que o espero, mas já não posso me arriscar. O meu medo era que, na sua loucura, ele tivesse usado a carta que lhe endereçara, fechada, para lhe revelar o que passei a suspeitar no final de nove noites de conversas, suspeita que aumentou ainda mais com a notícia da morte dele: que ele se adiantara ao assassinato, que não quis deixar nenhuma chance ao destino. Hesitei em acreditar que estivesse morto, como você também deve ter hesitado. Por alguns dias achei que ainda o veria, que ele tivesse fugido, trocado de identidade. Até entender. Foi quando sobreveio o medo de que, na sua loucura, ele tivesse sido capaz de revelar naquela carta coisas que pudessem levantar suspeitas. Coisas que não diria ao pai e ao cunhado, mas a você, seja lá quem for. Coisas que não faziam parte da realidade, mas da sua loucura. E que, se não cometeu, também já não era capaz de evitar.

Isto é para quando você vier. É preciso que esteja preparado. Quando se sentir só e abandonado, quando achar que perdeu tudo, pense no dr. Buell, meu amigo. Em algum momento, todos se sentirão sozinhos e abandonados. Só um teste incessante aos limites do corpo pode nos dar a consciência de que continuamos vivos. Se *pomos o corpo à prova, não é pelo capricho fútil de saber até onde podemos ir, não é para desafiar os limites, mas para saber onde estamos — embora aos outros possa parecer que cometemos um ato contra a natureza. E muitas vezes, quando descobrimos, já é tarde. No dia do seu vigésimo sétimo aniversário, ele me disse que sabia o que era a morte: um excesso que se anula. É ficar mais cansado do que o cansaço permite, exceder as próprias condições, reduzir-se a menos que zero, ultrapassar as vinte e quatro horas de um dia sem chegar ao dia seguinte. O diabo no caso dele foi não ter ninguém por perto para ampará-lo nessa malfadada hora. Quando entendeu que precisava voltar, que fora longe demais, já não tinha forças para a caminhada. Todo bicho, nem que seja cobra rastejante, nem que seja uma lesma, um caracol, nem que seja uma vez na vida, quando olha para uma árvore ou para uma pedra ou para um pedaço de céu, vê a totalidade do universo e compreende por um instante o que é, onde está e o que se passa à sua volta. Depois da morte dele, saí à procura dessa árvore, tentando compreender. Os índios me levaram até o túmulo cercado de talos de buriti. Podia estar diante de qualquer árvore. Tive que acreditar que havia sido ali. A comprovação eu só teria se exumasse o cadáver com as próprias mãos. Muita coisa não se pode desenterrar. Sozinho eu não tinha forças.*

Somos todos cães de beira de estrada, pegos de surpresa, sem entender que é sempre o momento errado de atravessar. Ele foi pego de surpresa por si mesmo. Eu teria feito qualquer coisa para salvá-lo, se tivesse entendido que ele já estava no fim de suas forças quando voltou para a aldeia da última vez, embora hoje compreenda todos os indícios que ele me dava, assim como as atribuições e responsabilidades. Teria tentado impedi-lo, mas o que aconteceu entre nós na ocasião me deixou sem iniciativa, no fundo por respeito ao dr. Buell. Era um homem orgulhoso e eu sabia que iria até o fim. Mas eu não podia interferir, ainda mais depois da nossa última conversa, depois da última noite no mato. Talvez por já ter percebido a sua instabili-

dade, decidi acompanhá-lo a cavalo durante o primeiro trecho do percurso — mas só isso —, quando ele me disse o que hoje eu teria preferido não ouvir, pois só pode aumentar o meu remorso e o arrependimento de tê-lo deixado seguir em frente. Tente me entender. A consciência que ele me deu sobre o seu estado foi também o que me impediu de intervir. A minha ação teria sido uma ofensa e uma traição. Seria como tornar real o fantasma do homicídio que o assombrava. O que ele me contou era para eu guardar como se não tivesse ouvido. E foi o que fiz. Era a minha herança. Peço que procure me entender e me perdoar assim como entendi que você não podia imaginar os efeitos que a sua última carta teriam sobre um homem naquele estado de solidão e desamparo.

O que lhe conto é uma combinação do que ele me contou e do que imaginei. Assim também, deixo-o imaginar o que nunca poderei lhe contar ou escrever.

19. Ninguém nunca me perguntou. Manoel Perna, o engenheiro de Carolina e ex-encarregado do posto indígena Manoel da Nóbrega, morreu em 1946, afogado no rio Tocantins, durante uma tempestade, quando tentava salvar a neta pequena. O Estado Novo e a guerra tinham acabado. Deixou sete filhos, três homens e quatro mulheres. Voltava de Miracema do Tocantins para Carolina. Quem conta a história são os dois filhos mais velhos, que me garantiram que ele não deixou nenhum papel ou testamento, nenhuma palavra sobre Buell Quain. Francisco Perna, de Miracema, disse que o pai "voltava para Carolina pelo rio, houve uma tempestade e a balsa virou. Ele já estava doente dos intestinos. O coração não aguentou. Tentou nadar e salvar a neta sobre uma mala, mas o corpo dele afundou. A neta foi salva por um amigo que conseguiu nadar até a margem". Só dias depois do acidente os filhos tiveram notícia de que o corpo do pai, levado pela corren-

teza, tinha sido achado e enterrado em algum lugar rio abaixo, que não sabem onde é. Foi enterrado e esquecido como Buell Quain, no meio do mato. Francisco era um menino quando o antropólogo frequentou a casa do pai: "Ele era alto, vermelho e muito querido. Era amigo do meu pai. Era muito calmo e educado. Foi uma surpresa o seu suicídio". A filha mais velha, Raimunda Perna Coelho, também se lembra do etnólogo, das vezes em que ele visitava o pai em Carolina: "Eles conversavam muito. Ou saíam a cavalo". Hoje, como o irmão Francisco, Raimunda vive em Miracema. Pedi que me dissesse o que sabia sobre a morte de Quain: "Ele não quis mais comer desde que recebeu as últimas cartas de casa. E disse aos índios que havia sido abandonado pela mulher, que ela o teria traído com o cunhado. Que ela lhe teria desobedecido, indo trabalhar num jornal da América do Norte. Antes de morrer, para poder escrever as últimas cartas, queimou tudo, roupas e papéis, já que não tinha luz. Era o rumor que corria em Carolina". No final das contas, eu pensei, enquanto falava com ela no telefone, era bem possível que a "traição" do cunhado tivesse a ver com o dinheiro, que era um dos pontos cruciais e recorrentes em todas as cartas deixadas por Quain: a distribuição do seu espólio entre Ruth Benedict e a família, o que devia em Carolina ou ao Museu Nacional e o que havia prometido aos índios, a começar pelos dois que o acompanharam na última viagem. O etnólogo chegou a atribuir o seu suicídio às dificuldades da família. Nesse caso, era possível que, aos seus olhos perturbados, o cunhado o tivesse "traído" simplesmente por deixar a irmã e a sobrinha em má situação financeira, embora Marion Kaiser tenha negado qualquer dificuldade, não sem uma ponta de orgulho ferido, na carta que escreveu a Ruth Benedict depois do suicídio do irmão. Manoel Perna não deixou nenhum testamento, e eu imaginei a oitava carta.

Ninguém nunca me perguntou. E por isso também não precisei responder. Meu pai morreu há mais de onze anos, às vésperas da guerra que antecedeu a atual e que de certa forma a anunciou. Hoje, as guerras são permanentes. Eu não morava no Brasil. Minha irmã me ligou, pedindo que me preparasse para o pior. A história não é simples. A certa altura, meu pai começou a andar com dificuldade. Como tinha bebido muito a vida inteira, a ponto de várias vezes ter levado um copo de uísque na mão quando saía sozinho de carro, achamos que era o efeito acumulado do álcool. E aí começou a ter dificuldade de se expressar. Falava mal, enrolava a língua. Deixou de assinar cheques. Vivia com uma libanesa que conhecera na piscina do prédio em que morava, em São Conrado. Meu pai teve várias mulheres e algumas vezes mais de uma ao mesmo tempo. Caía por amantes, e por alguma coisa vagabunda também. E, embora não fosse um homem liberal, sempre tive a impressão de que no fundo havia nele algum tipo de compreensão e solidariedade pelos que se deixam carregar pelo desejo, por caminhos que não escolheram e que muitas vezes os levam à própria destruição. A mim, quando pequeno, sem que nada pudesse justificar o comentário (a não ser uma intuição fabulosa ou uma capacidade mágica de prognose, que ele não tinha), uma vez ele disse, sem mais nem menos, que "os homens não amam sozinhos, sem as mulheres". E eu fiquei com a impressão de que só podia estar falando por experiência própria, provavelmente depois de ter me observado, enquanto fingia dormir, a me masturbar por baixo dos lençóis, já naquela época sem o menor dom para o autocontrole, no meio de uma das noites em que dividimos um quarto de pensão numa cidade qualquer do interior de Mato Grosso, Barra do Garças, se não me engano, a caminho das fazendas, e nesse caso só posso achar que o comentário não fosse repressor, mas fruto de um sentimento protetor e previdente. Falava com conhecimento de causa. Ele se entregou a um desejo que, se tinha alguma coisa de sádico, também tinha muito de masoquista. Pode parecer simplista, mas o que tirou das mulheres ao longo da sua vida ativa teve de pagar de volta às que o cercaram na velhice. Eu nunca soube ao certo o que ele aprontou com a prima com quem vivia fazia anos e que investiu uma soma considerável nas fazendas de gado que ele decidira abrir na selva. Ao que parece, pegou o dinheiro dela, ao mesmo tempo que passou a ser visto, sem nenhum constrangimento aparente e sem fazer nenhum esforço para evitar a humilhação à prima (ao contrário, tudo parecia muito deliberado), com uma mulher vinte anos mais moça, miss alguma coisa, que deve ter encontrado num bar para solteiros ou executivos, o que muitas vezes dá na mesma, e com quem me levou pela primeira vez na vida, sem que eu soubesse aonde estávamos indo, a um terreiro de macumba numa das visitas que me fez no Rio durante esse período. Ao mesmo tempo que não conseguia resistir aos apelos de uma puta, precisava fazer a mulher com quem vivia àquela altura se sentir como tal. Meu pai passou um fim de semana com a miss na casa que mantinha com a prima na praia. Os amigos dela o viram com a moça. Foi um escândalo. A prima contratou advogados para reaver o dinheiro que perdera com o meu pai, já que ninguém poderia ajudá-la a recuperar o orgulho com que havia desafiado o irmão que a alertara anos antes sobre o primo, quando ela resolveu viver com ele, contrariando o bom senso, porque estava apaixonada. O irmão havia cortado relações com ela. Os fatos acabaram lhe dando razão. Meu pai tinha fama. Perdeu o equilíbrio da sua perversão, entre o sadismo e o masoquismo, no dia em que, sempre atraído pelo mais baixo, acabou se aproximando de gente pior do que ele. Passou de algoz a vítima, de sádico a masoquista. Era o risco que corria desde o início, e foi quando começou a pagar. Viveu alguns anos com uma mulher que, para surpresa dele, quando o meu pai deu início ao tradicional último ato do seu teatro sádico, mostrou que não era puta só na cama e distribuiu por São Paulo inteira uma carta em que revelava todos os podres financeiros do amante que agora tentava lhe passar a perna, deixando-a sem nada. Não sei se foi essa a razão principal, mas o fato é que ele decidiu sair do Brasil. Aproveitando a escala do avião no Rio, foi à casa da minha mãe, com o ar desiludido de quem acabou de tomar uma surra, e passou a tarde conversando com a gente, e com ela, o que não fazia havia anos e a mim parecia espantoso. Nos Estados Unidos, terminou se casando de novo, ingênua ou inadvertidamente para um homem com a sua idade e bagagem, com a mulher que cuidava da sua conta bancária, uma funcionária cubana que conhecia cada tostão do que ele guardava no banco. Para mim, esse foi o passo definitivo, o sinal determinante de que o equilíbrio da sua perversão se perdera com a idade. Sem perceber, havia caído na armadilha do próprio desejo. Não que a cubana não tenha sofrido nas mãos dele. Para se ter uma ideia, meu pai comprou um veleiro de trinta e tantos pés e obrigou a mulher, que não sabia nadar, a fazer com ele, que não sabia velejar, e um velho marinheiro aposentado, travessias noturnas entre a Flórida e as Bahamas, até o dia em que foram pegos por uma tempestade inesperada e por pouco não morreram os três. Desde então, cessaram as travessias. Quando os visitei em Treasure Cay, uma ilha remota das Bahamas, o barco já não saía do ancoradouro e as torturas que ele infligia à mulher se limitavam às brigas e ao sexo, de que, pelo que depois ele me contou, ela realmente não gostava, pelo menos com ele. Quando as coisas já não estavam nada bem, os dois foram morar no Rio. E quando o meu pai começou a aprontar demais, ela voltou para Miami e entrou com um pedido de divórcio e partilha dos bens. Nunca nenhuma outra mulher tinha ousado fazer isso com ele. Foi pego de surpresa. Para piorar as coisas, havia posto tudo o que comprara nos Estados Unidos (um apartamento, um barco e dois carros), além dos investimentos, no nome dela. Tinha a ver com os impostos e com o tipo de visto de residência dele. O advogado brasileiro o aconselhou a não comparecer à audiência em Miami e deixar que ela ficasse com os bens americanos para evitar perder a metade de tudo o que tinha no Brasil. E meu pai nunca mais pôs os pés nos Estados Unidos. Sozinho no Rio, ele passou a beber e tomar antidepressivos e calmantes ao mesmo tempo. Um dia, depois de seis meses sem falar comigo, por desaprovar o meu modo de vida (queria que eu trabalhasse, como ele, em vez de terminar a faculdade), me ligou pedindo ajuda. Não sabia onde estava (estava em casa), não sabia onde estava a mulher (que o abandonara e tinha voltado para os Estados Unidos), não sabia quem era (era o meu pai). Passou a sair com mais de uma mulher por semana, às quais de vez em quando me apresentava orgulhoso. Gastava o que não tinha e varava as noites como um playboyzinho de vinte anos. Tinha mais de sessenta. Um dia conheceu uma vizinha do mesmo prédio, a libanesa, e aparentemente se acalmou. Ou melhor, seu estado começou a deteriorar. Ele a botava para fora do apartamento e ela voltava uma semana depois. Ele a expulsava de novo e ela voltava, e assim acabou por se impor, sem que ele conseguisse resistir. Ela passou a tomar conta de tudo o que era dele, e quando eu e a minha irmã nos demos conta, era tarde: meu pai já não falava, não andava, e ela conseguira arrancar dele uma procuração em que, à falta de assinatura, constavam as impressões digitais do polegar. Por um tempo, ninguém soube que doença ele tinha. Fizeram muitos exames e não constataram nada, até que por fim um médico pediu uma tomografia e deu o diagnóstico com base na morfologia esponjosa do cérebro: eram grandes as evidências de que meu pai sofria da síndrome de Creutzfeld-Jakob, uma doença raríssima e fatal. Seu cérebro estava se tornando uma esponja. Decidimos que era preciso interditá-lo, por razões práticas e objetivas. Foi quando descobrimos, por acaso, a existência da procuração, que a libanesa tinha nos omitido. E uma coisa levou a outra. Descobrimos que ela havia procurado o advogado do meu pai em São Paulo, atrás da lista das propriedades que lhe sobravam. Já tinha passado o apartamento do Rio para o seu nome. Tinha desaparecido com as ações ao portador e tudo o mais que ele guardava num cofre a que só ele e eu tínhamos acesso, em princípio. Tinha raspado o tacho de todas as contas e investimentos. Quando pedimos uma explicação, ela nos proibiu, com a sua voz rouca, de entrar na casa dele ou no prédio. Era instruída por um advogado. A cena foi dantesca. Quando nos confrontamos com ela, começou a gritar na frente do meu pai, de cama, que acompanhava tudo com os olhos arregalados, mudo e imóvel. Ela gritava que nós queríamos roubá-lo, que se estávamos ali era para roubá-lo. Não sei o quanto ele ainda entendia. Num esforço sobre-humano, ele olhou para mim com os olhos esbugalhados e conseguiu balbuciar, mais de uma vez, uma única palavra: "Sem-vergonha!". Foi a última coisa com algum sentido que ouvi meu pai dizer. Entramos, eu e minha irmã, com um processo de interdição. Tudo durou meses. Nesse meio-tempo, me ofereceram um trabalho em Paris. A oportunidade era única e irrecusável. Viajei enquanto o processo corria. Três meses depois, minha irmã me telefonou e disse que eu devia me preparar para o pior. O pior era ter de entrar à força no apartamento do meu pai (de posse de um mandado judicial), acompanhado de um oficial de justiça (e, se preciso, da polícia), de um médico e de dois enfermeiros, tirar meu pai da cama contra a sua vontade (se é que ele ainda tinha alguma — não dava para saber), metê-lo numa ambulância e levá-lo para São Paulo às pressas. Cheguei ao Rio num vôo direto de Paris. Jantei com a minha irmã e um médico amigo dela que tinha arrumado tudo para a internação num hospital pouco reputado de São Paulo, o único que aceitaria o meu pai naquele estado, e na manhã seguinte fomos com a ambulância e o oficial de justiça até o prédio em São Conrado. A libanesa já havia sido intimada e sabia o que ia acontecer. Ela nos esperava com o filho e um advogado. Quando tiramos o meu pai do apartamento, ela ainda tentou gritar e chorar, mas quando ia começar a fazer a cena, foi interrompida pelo filho e pelo advogado, que a convenceram de que não adiantava, era pior, e ela não deu mais um pio. Não sei o quanto o meu pai entendia. A expressão dos seus olhos podia ser tanto de incompreensão como de pavor. Às vezes não sei o que eu fiz e não sei se me arrependo. Não sei com quem estava a razão. E se antes de perder a consciência, se é que ele a tinha realmente perdido, o meu pai tivesse decidido morrer ao lado daquela mulher, naquele apartamento? Se tivesse decidido dar tudo o que tinha a ela? Levamos cinco horas de ambulância até São Paulo. Eu e minha irmã íamos ao lado dele. Eu tentava acalmá-lo, dizendo que tudo ia acabar bem, mas só conseguia ouvir a falsidade das minhas próprias palavras enquanto ele me fitava imóvel, com um olhar perquisidor que eu não podia saber se era de incompreensão ou de reprovação resignada. Devia estar vendo a verdade no fundo dos meus olhos: que, ao contrário do que eu dizia, nada ia acabar bem, não podia acabar bem. Quando chegamos ao hospital, o médico amigo da minha irmã já nos esperava. Meu pai foi levado para um quarto duplo, no setor de urgências. Era um sistema de semiUTI, com quartos de dois leitos. E já era um milagre que o aceitassem. O sujeito no leito ao lado estava à morte. O médico havia omitido o diagnóstico da doença do meu pai para que fosse aceito no hospital. Ninguém sabia o que era aquela doença nem o seu grau de contágio. Ninguém teria se arriscado a recebê-lo, ainda mais porque não havia o que fazer além de esperar a morte e essa espera podia se arrastar por meses. Não sabiam a causa do que ele tinha e não descartavam a hipótese de que fosse uma doença hereditária, a que eu e minha irmã ainda estamos sujeitos. Isso foi logo antes de estourar a crise da vaca louca na Inglaterra, que se revelou uma variação do mal de Creutzfeld-Jakob, pelo menos nos seus efeitos e sintomas, embora seja totalmente diferente no que diz respeito ao contágio; foi antes de começarem a suspeitar de que uma variante da doença podia ser contraída pela ingestão de carne contaminada por uma proteína disfuncional. Logo na primeira noite, as enfermeiras começaram a desconfiar de que alguma coisa não estava certa, pelo quadro da doença e pela ausência de diagnóstico. Evitavam se aproximar do meu pai ou tomavam maiores precauções sempre que entravam no quarto. Eu tinha vindo de Paris especialmente para aquela operação de resgate e estava com a volta marcada para dali a três dias. Combinei com a minha irmã que eu passaria as três primeiras noites no hospital e que ela viria durante o dia. Como o outro paciente no quarto era um homem sozinho e raramente recebia visitas, me deixaram passar as três noites num sofazinho ao lado do meu pai. O ar da noite era irrespirável. Havia um cheiro acre no quarto, que as enfermeiras diagnosticaram como sendo efeito de uma infecção na boca do meu pai. Todos os paliativos eram insuficientes. Sua morte seria a mais terrível, com a falência progressiva das funções e dos órgãos, três meses depois da internação. As enfermeiras viam o que o esperava. Mas eu não fazia ideia. Minha irmã arcou sozinha com a responsabilidade e o ônus emocional desses meses de espera. Quando afinal me telefonou para comunicar a morte, na véspera do enterro, ela me disse que, nas últimas horas, ele tinha chorado sangue. E eu procurei não imaginar. Também não voltei para o enterro.

Passei a primeira noite praticamente acordado. O sofrimento do meu pai não me deixava dormir. Ele estertorava, gemia de vez em quando, queria dizer alguma coisa. Eu tentava acalmá-lo em vão. Quando chegamos, as cortinas do leito ao lado estavam fechadas. No meio da noite, o outro paciente também começou a resmungar. Volta e meia uma enfermeira vinha aplicar-lhe alguma injeção. Só de manhã é que eu o vi pela primeira vez. Tinha os cabelos totalmente brancos, os olhos azuis aguados e era muito magro. Lá pelas dez da manhã, um rapaz entrou no quarto, me deu bom-dia, cumprimentou o velho, puxou uma cadeira, sentou-se ao pé do leito, tirou um livro de uma sacola e começou a ler. Minha irmã ainda não tinha chegado. O rapaz lia em inglês. Para meu espanto, logo reconheci as primeiras linhas de "O companheiro secreto", de Joseph Conrad, um dos meus contos preferidos de adolescência. O rapaz não tinha nenhum sotaque. Nem em português nem em inglês. Era bilíngue. Falava como um americano do Meio-Oeste. "Ainda pude vislumbrar um lampejo do meu chapéu branco deixado para trás, marcando o lugar onde o companheiro secreto da minha cabine e dos meus pensamentos, como se fosse o meu segundo eu, havia imergido na água para cumprir a sua pena: um homem livre, um nadador orgulhoso dando braçadas rumo a um novo destino." Quando terminou o conto, levantou-se, disse ao velho — que, como eu, o havia escutado impassível por mais de duas horas — que voltava no dia seguinte, despediu-se de mim com um gesto de cabeça e foi embora. Fiquei perplexo. Quando a enfermeira voltou, perguntei-lhe quem era o companheiro de quarto do meu pai e ela respondeu que não fazia ideia, era nova naquela ala. A enfermeira da noite certamente poderia me dizer. Naquela noite, eu procurei a chefe de enfermagem do andar. E ela me contou o que sabia. Meu pai dividia o quarto com um americano de oitenta anos, que morava no Brasil havia muito tempo. "Ele não tem ninguém aqui, nenhum parente, nenhum amigo." Estavam tentando encontrar o filho nos Estados Unidos antes que ele morresse. O velho tinha sido mandado de um asilo para o hospital, quando começou a piorar. Estava com câncer. Seus dias estavam contados. Perguntei quem era o rapaz que eu tinha visto naquela manhã, se era da família. Tratava-se de um acompanhante, contratado pela instituição de caridade que mantinha o asilo de onde viera o velho, uma sociedade criada por missionários americanos. "Parece que o rapaz o acompanha há anos", me disse a enfermeira-chefe no corredor.

No dia seguinte, lá estava ele, pontualmente, às dez. Abriu o mesmo livro e dessa vez começou a ler o prefácio de *Lord Jim*: "Por uma manhã de sol, na banal decoração de uma praia do Oriente, eu o vi passar, impressionante, na nuvem do seu mistério, perfeitamente silencioso. E é bem assim que ele devia ser. Competia a mim, com toda a simpatia de que era capaz, procurar as palavras adequadas a sua atitude. Ele era um dos nossos". Durante duas horas, leu para o velho impassível. Não dava para saber se o doente o entendia ou não. Como no dia anterior, no final de um capítulo, o rapaz se levantou, despediu-se do velho e de mim e foi embora. Eu saí atrás dele. Alcancei-o antes que entrasse no elevador. Perguntei o quanto o velho entendia daquelas sessões de leitura em voz alta todas as manhãs — eu queria saber o quanto o meu pai podia entender do que eu lhe dizia. "Leio sempre as mesmas coisas. Os textos de que ele mais gostava. É o mínimo que posso fazer", o rapaz respondeu, e foi embora.

Minha irmã chegou na hora do almoço, como na véspera. Saí para dar uma volta, arejar a cabeça. Ela me disse que tinha um compromisso às cinco horas, precisava sair no meio da tarde. Quando voltei, fiquei sozinho com o meu pai e o velho, que de repente, pela primeira vez desde que tínhamos chegado ao hospital, começou a se agitar. Falava coisas em inglês que a mim pareciam descabidas e sem nexo. Chamei a enfermeira, que lhe aplicou uma injeção de morfina. Ele dormiu a noite inteira. Pela manhã, o rapaz voltou na hora de sempre e prosseguiu na sua leitura de *Lord Jim*. Ao contrário dos dias anteriores, porém, lá pelas tantas, o velho voltou a se agitar e a dizer coisas incompreensíveis, obrigando o rapaz a interromper o que estava lendo e a se aproximar do leito para acalmá-lo. O americano se debatia, queria se levantar. Do pouco que pude entender, dizia que estava esperando uma visita, uma pessoa que podia chegar a qualquer instante, sem avisar, alguém que ele havia esperado por muitos anos. Queria por força ir até a porta. O rapaz tentava mantê-lo deitado. Perguntei se precisava de ajuda. Pediu que eu chamasse a enfermeira. Ela veio e aplicou uma nova dose de morfina ao velho, que logo serenou. Perguntei ao rapaz o que o velho queria, mas ele não me deu muita conversa. Repetiu o que eu já tinha compreendido: "Sempre diz a mesma coisa. Está esperando alguém que pode chegar, inadvertidamente, de uma hora para a outra. Eu mesmo acabo ficando aflito com essa expectativa, começo a olhar toda hora para a porta, achando que alguém vai entrar a qualquer instante, e não consigo mais ler".

Fazia duas noites que eu estava sem dormir. Por isso, demorei para acordar na terceira madrugada. Demorei para entender que aquelas palavras não faziam parte do meu sonho. Quando abri os olhos, o velho estava falando sozinho. Tinham-no amarrado, já não podia sentar ou levantar. Meu pai continuava imóvel, de olhos abertos e arregalados, como se só lhe restasse o terror e mais nenhuma outra opção. Já não podia nem mesmo dar um fim à própria vida. Passei a mão na sua testa suada. Ele me olhou com os seus olhos horrorizados, mas como já fazia dias que não tinha outra expressão, não dava para saber se era realmente horror o que sentia ou se aquela havia sido apenas a última contração dos músculos do seu rosto antes de perderem os movimentos. Passei a mão nos cabelos molhados do meu pai e me aproximei do leito ao lado. Quando abri as cortinas, o velho olhou para mim com olhos vidrados e se calou. Perguntei se estava tudo bem. Ele continuou me olhando em silêncio. Repeti em inglês. Perguntei se precisava de alguma coisa, se queria que eu chamasse a enfermeira. Ele não se mexia, mas chegou a balbuciar algum som, como se quisesse dizer que estava bem, ou pelo menos foi assim que eu o entendi ou quis entender no início: "Well...". Quando fechei a cortina, no entanto, ouvi um nome às minhas costas. Ele me chamava por outro nome. Abri as cortinas e perguntei de novo se precisava de alguma coisa. E ele repetiu o nome. Me chamava "Bill", ou pelo menos foi isso que entendi. Tentava estender o braço na minha direção. Segurei a mão dele. Ele apertou a minha com a força que lhe restava e começou a falar em inglês, com esforço, mas ao mesmo tempo num tom de voz de quem está feliz e admirado de rever um amigo: "Quem diria? Bill Cohen! Até que enfim! Rapaz, você não sabe há quanto tempo estou esperando". De repente, começou a respirar de uma maneira estranha. Eu estava nervoso com aquilo tudo que não entendia direito. Continuava perguntando se ele precisava de alguma coisa, se estava se sentindo mal, se queria que eu chamasse a enfermeira, e ele repetia: "Bill Cohen! Bill Cohen! Quem diria! Quanto tempo!", cada vez de uma maneira mais rouca e ininteligível, como se a voz viesse das entranhas, como se alguém falasse por ele. Ele apertava a minha mão e repetia: "Bill Cohen! Que peça você me pregou!". E ia ficando cada vez mais ofegante. "Eu sabia que você não estava morto!" Foi a última coisa que conseguiu dizer antes de revirar os olhos e entrar em convulsão. Saí correndo do quarto para chamar a enfermeira. Quando voltamos, às pressas, ele já não falava nada, era só a respiração estertorosa. A enfermeira me pediu que a ajudasse. Nós o desatamos da cama. Ele respirava com a boca aberta, cada vez com mais dificuldade e com um som mais assustador. Os olhos entreabertos. Eu nunca tinha visto um homem morrer.

O corpo foi levado de manhãzinha. O rapaz deve ter sido avisado, pois não apareceu como de costume. No dia seguinte eu já não pensava mais no velho ou no que me disse na sua agonia. Era o dia da minha partida. Minha vida seguiu o seu rumo. Meu pai morreu três meses depois. Fiquei três anos fora. Já faz nove anos que voltei para São Paulo. Mas foi só ao ler o artigo da antropóloga há oito meses, e ao repetir em voz alta aquele nome que eu não conhecia e ainda assim me parecia familiar: "Buell Quain, Buell Quain", que de repente me lembrei de onde o tinha ouvido antes e, fazendo a devida correção ortográfica na minha cabeça, descobri de quem falava o velho americano no hospital, quem era a pessoa a que ele se referia e que havia esperado por tanto tempo. Fiquei na maior inquietação. Precisava falar com a antropóloga. Ao mesmo tempo que procurava encontrá-la, liguei para a minha irmã e em seguida para o médico que havia conseguido internar o meu pai e agora era diretor do hospital. Eu tinha que achar alguém da instituição de caridade que havia cuidado do velho americano durante a sua doença, precisava saber quem ele era. O médico me deu os contatos da diretora do asilo onde o americano passara os seus últimos anos. Ficava a cinquenta quilômetros de São Paulo. Era uma casa térrea, cercada por uma varanda de arcos. O chão era de cimento queimado, encerado de vermelho. Tudo era muito simples. Uma senhora muito magra, branca e alta me esperava do lado de fora da casa. Tínhamos conversado por telefone, embora eu não tivesse lhe dado maiores detalhes do que procurava. Disse-lhe apenas que era jornalista e que precisava falar com ela pessoalmente. Chamava-se Mavis Lowell. Estava com um vestido verde-mostarda até os joelhos e um cintinho da mesma cor. Me cumprimentou e me conduziu à administração no interior da casa. Tinha um sotaque forte. Havia uns quatro ou cinco velhos sentados, espalhados pela varanda e pelo jardim. Apenas um olhou para mim quando passamos, e mesmo assim com indiferença. Para os outros, era como se eu não existisse ou como se já não estivessem ali. Estavam alheios. Eu tentava imaginar o que teria sido a vida deles, o que teriam sido quando jovens, as mulheres que teriam amado, os primeiros amores, que é o que eu sempre tento imaginar, por que acabaram ali. Tentava imaginar onde podiam estar os que os amaram e que já não os amavam ou estavam mortos. Perguntei se eram todos americanos. Mrs. Lowell me respondeu que no começo, quando o asilo foi criado, sim, mas que agora só uns poucos. Num canto do gramado, uma moça lia para um velho à sombra de um jatobá. Mrs. Lowell percebeu o meu interesse pela leitora. "São jovens interessados em literatura. Aprendizes de escritores. É um trabalho voluntário. Ajudam os idosos e para eles — quero dizer, para os jovens — também é muito bom. Afinal, os velhos são uma fonte de histórias. É o que o traz aqui, não é?"

"Mais ou menos", respondi, sem saber como começar, ao entrarmos na casa.

"Mas o senhor é jornalista..."

Concordei com a cabeça. Entramos na sala. Ela me indicou uma cadeira, tomou o lugar atrás da mesa de madeira e me perguntou afinal como podia me ajudar. Disse-lhe que estava procurando informações sobre um velho que tinha morado ali e morrido fazia onze anos. E bastou eu dizer o que havia me trazido para ela mudar de tom e se levantar, seca. "Se eu soubesse, teria lhe poupado a viagem. Vocês no Brasil são muito mal-acostumados. A vida das pessoas deve ser respeitada, é de foro íntimo. É assunto delas, e só cabe a elas ou a seus familiares decidir torná-la pública. Não temos dinheiro, mas não é por nos faltar recursos que vamos desrespeitar a privacidade dos nossos velhos. Não precisamos nos rebaixar por um espaço na mídia." Tentei argumentar de todas as maneiras, em vão. Mrs. Lowell já me esperava com a mão na maçaneta da porta aberta. Eu mal tinha chegado e já estava sendo posto para fora. Ela estava ofendida e decepcionada. Compreendi naquele instante que talvez ela pudesse ter achado que eu queria escrever sobre a instituição, já que me apresentara como jornalista no telefone, como pretexto para conseguir uma audiência. Estavam falidos, precisavam de doações. Tinham sido esquecidos. Deve ter achado que eu poderia ser um meio de ajudá-la, até dizer o que me trouxera. Me perguntou se eu precisava que alguém me acompanhasse até o carro. Eu sabia o caminho. Saí de lá chateado com a minha falta de sensibilidade para enredá-la e convencê-la a me revelar o que eu buscava. Tudo o que eu podia ter sabido se dissolvera em poucos segundos. Passei de novo pelo velho na varanda que havia me olhado quando entrei. Já não me olhava. Caminhei até o carro e já estava pronto para entrar, com a porta aberta, quando, virando-me para o gramado, vi a menina que lia para um senhor debaixo do jatobá. Foi como uma visão. Bati a porta e caminhei até ela. Lia um conto de Machado de Assis, em português mesmo, para o velho de pijama azul-claro, sentado numa espreguiçadeira, com um cobertor sobre as pernas. Quando percebeu a minha presença, interrompeu a leitura e levantou o rosto, como se perguntasse o que eu queria. Não parecia muito simpática. Tinha o cabelo castanho-escuro escorrido até o meio das costas. E na mesma hora, sem que tivesse planejado nada, eu lhe disse que estava procurando alguém que pudesse ler em inglês para um vizinho inválido. Disse que o vizinho estava disposto a pagar o que fosse necessário. Perguntei se ela fazia esse tipo de serviço ou se conhecia alguém que o fizesse. Ela ficou me olhando por um instante e depois respondeu que podia ver e me telefonava. Deixei o meu telefone. Não me deu o dela. Tudo agora dependia da sorte. Recuperei um pouco de esperança quando ela me ligou no dia seguinte e disse que podia fazer o serviço. Combinamos no meu apartamento. Preferia não falar por telefone, agora que estava escolado depois da reação de Mrs. Lowell. Só quando abri a porta é que notei como era baixinha. Havia prendido o cabelo numa trança. Dessa vez, estava decidido a não perder nenhuma chance. Não ia arriscar. Inventei tudo, disse que o vizinho estava dormindo naquele momento e que ela o veria na semana seguinte, quando começariam as sessões de leitura, três vezes por semana, como acabamos combinando (na véspera do dia marcado, eu ligaria para ela e diria que o vizinho tinha morrido durante a noite). Acertamos o preço. Disse-lhe que eu mesmo pagaria, era um ato de solidariedade, me cortava o coração ver o velho estrangeiro abandonado numa terra estranha. E assim fui desdobrando a conversa até chegar aonde eu queria. Disse que nunca tinha me recuperado da vez em que um velho americano morrera nos meus braços, no hospital, ao lado do meu pai. Contei mais ou menos a história, sem dar detalhes ou revelar os meus verdadeiros objetivos. Contei que havia um rapaz que lia para o velho todas as manhãs e que fiquei muito impressionado por aquelas cenas. Antes mesmo de eu perguntar quem poderia ter sido, ela murmurou o nome do rapaz: "Era o Rodrigo. Peguei o lugar dele no asilo. Foi ele quem me deu a dica. Era monitor de um curso que eu fiz na faculdade de letras". Fiz-me de desentendido, e ela arrematou com o nome completo do rapaz, dizendo que agora ele trabalhava de tradutor para uma companhia química. Guardei o nome da companhia e nos despedimos.

Eu não o teria reconhecido. Tinha mudado bastante. Também não se lembrava de mim, embora tivesse uma memória vaga do companheiro de quarto de hospital que chegou três dias antes da morte do velho americano, "um sujeito com uma doença no cérebro", o meu pai. Eu não podia reconhecer o rapaz entre os clientes do bar em que marcamos o encontro. Em onze anos, o tempo tinha sido ingrato. Estava mais gordo e careca, com cabelos grisalhos nas têmporas. E, no entanto, não devia ter mais de trinta e cinco anos. Disse-lhe no telefone que estaria com uma camisa vermelha, e foi o suficiente para que, ao me ver perdido e hesitante, me acenasse discretamente de uma mesa ao fundo. Não fiz rodeios. Contei-lhe toda a história. Precisava confiar em alguém e que ele confiasse em mim. Ficou logo muito interessado quando lhe falei do artigo da antropóloga no jornal, tanto que imediatamente me disse o que sabia sobre o velho americano que morrera no leito de hospital ao lado do meu pai. Era fotógrafo, chamava-se Andrew Parsons e tinha vindo para o Brasil provavelmente antes da entrada dos Estados Unidos na guerra, por volta de 1940. Nunca mais voltou para casa. Em mais de uma ocasião o velho havia lhe mostrado fotos antigas, dos anos 30 e 40, de uma praia perto de Nova York e de uma tribo de índios, provavelmente no interior do Brasil. "Quando comecei a ler para os velhos no asilo, era ao lado dele que eu me sentia mais confortável. Era um homem alto e calado, uma presença imponente. Não tinha ninguém aqui nem em lugar nenhum. Só depois da morte dele é que o filho apareceu. Um empregado havia deixado o velho no asilo e desaparecido, provavelmente com o dinheiro que lhe restava. Eles o mantiveram ali por caridade, porque não tinham o que fazer com ele. Quando ficou doente, os missionários conseguiram interná-lo quase que por favor. Como os outros, falava pouco. Eu lia e ele ouvia. Já bem no fim, quando estava no hospital, volta e meia me interrompia e apontava para a porta: 'Ele já chegou?'. Com delicadeza, mesmo sabendo que não haveria nenhum sentido na resposta, eu perguntava: 'Quem?', nem que fosse só para mantê-lo vivo e interessado, que era a razão da minha presença ao lado dele. Era muito triste. E ele, que não falava nunca ou falava com tremenda dificuldade, reunia todas as forças que lhe restavam para dizer com a mais perfeita dicção: 'Estou esperando há anos. Vá avisá-los que podem deixá-lo entrar quando chegar'. Eu ficava sem ação, e ele insistia: 'Vá, vá logo. Não quero que o deixem esperando'. Depois se esquecia do que havia dito, fechava os olhos e voltava ao estado de alheamento, ou talvez fosse resignação. Entre os seus únicos bens no asilo, havia uma mala de fotografias. De início, eu só sabia da existência da mala de ouvir falar, porque o velho a guardava a sete chaves e só a abria quando lhe dava na telha, nunca para atender a um pedido. Só depois de vários meses lendo sempre as mesmas histórias, as suas preferidas, 'O companheiro secreto' e *Lord Jim*, de Joseph Conrad, ou o trecho em que Melville discorre sobre o branco — sobre a cor branca —, em *Moby Dick*, é que ele por fim me pediu que o ajudasse a tirar a mala de cima de um armário. Não sei o quanto aquele livro e aquela digressão sobre o branco podem ter contribuído para lhe despertar a vontade de rever as fotos. Não me deixou ver todas (e de qualquer jeito eram muitas). Fez uma seleção, me passou só algumas. Eram fotos de índios." Perguntei qual era a tribo, mas ele não sabia responder. "Havia também fotos de um grupo de jovens numa praia. Os rapazes estavam com pedaços de pano enrolados na cintura. Numa das vezes em que me mostrou aquelas fotos, balbuciou alguma coisa em inglês, como 'as crianças mais belas do mundo', mas posso ter entendido errado. De fato, eram fotos muito atraentes. Ele me mostrou os retratos de uma senhora — é possível que fosse sua mãe — e de uma moça, que eu imaginei ser a sua mulher, embora pudesse ser a filha ou mesmo a mãe na juventude. Não eram fotos convencionais. Eram as fotos de um artista. Quando, logo no início, perguntei se era ele o fotógrafo, ficou ofendido com a minha dúvida. Disse que eram retratos muito antigos, de um mundo que não existia mais. Uma vez, ficou parado com a foto de um rapaz na mão. Era um moço de calção de banho, com um saco nas costas, os cabelos molhados e os olhos arregalados de susto na soleira de uma porta, a emoldurar um fundo claro. Foi a primeira vez que o vi sorrir, enquanto segurava a foto e repetia: 'Well, well, well'. Ele me deu um daqueles retratos. Era uma criança de colo. Perguntei quem era, e ele disse que era eu", o rapaz interrompeu a sua história e sorriu para mim, com os olhos baixos, enquanto tomava um gole de cerveja. Até onde se sabia, o velho fotógrafo tinha deixado apenas um filho nos Estados Unidos, que só apareceu depois da morte do pai, para tratar da parte legal e recolher os bens que o velho deixara, na verdade nada além da mala com fotografias e papéis. Perguntei se ele sabia que tipo de documentos ele guardava na mala. A pergunta era tola, mas eu precisava descobrir qualquer coisa. Atirava para todos os lados. Tudo havia sido entregue ao filho. Perguntei se ele fazia alguma ideia de como eu poderia encontrá-lo. E, para minha surpresa, ele me respondeu que ainda devia ter o endereço em casa, numa velha caderneta, já que tivera de remeter ao filho, um ano depois da morte do fotógrafo, a foto da criança de colo, que o velho fizera questão de lhe dar de presente quando já não estava bem da cabeça, dizendo que era ele, e que o rapaz esquecera entre as páginas de uma edição popular de *Moby Dick*, como marcador. Só um ano depois é que, abrindo o livro ao acaso, deu com a fotografia e achou que pudesse interessar ao filho em Nova York. Conseguiu o endereço com os missionários do asilo. Disse que me ligaria quando chegasse em casa e que me passaria o endereço. Não sabia mais nada.

De posse da informação, escrevi uma carta ao filho do fotógrafo, em Nova York, na tentativa de esclarecer a relação entre o velho e Buell Quain, se é que havia alguma, porque em momento nenhum deixei de desconfiar da possibilidade, ainda que pequena, de uma confusão ou de um delírio da minha parte. Podia ter ouvido errado, os meses que precederam a morte do meu pai foram especialmente tensos, e eu não andava com a cabeça no lugar. Esperei em vão uma resposta. Nesse meio-tempo, minha pesquisa me levou para outras frentes: vasculhei o arquivo de Heloísa Alberto Torres, fui a Carolina e visitei os Krahô. Ao voltar sem respostas da aldeia, em setembro, achei que só a família de Quain poderia me esclarecer o que faltava no meu quebra-cabeça. Tudo o que eu precisava era do teor de uma suposta oitava carta, além das que o etnólogo enviara ao pai, a um missionário e ao cunhado antes de morrer (por que não teria escrito antes à irmã? Ou teria escrito uma oitava carta à irmã?), e de um eventual diário que, segundo a mãe, ele sempre mantinha. A oitava carta e o diário explicariam tudo. Tanto uma coisa como a outra, se é que ainda existiam, só podiam estar com a família. Além do pai e da mãe, que estavam mortos, havia a irmã mais velha, Marion, o cunhado, Charles, e os dois sobrinhos, cujos nomes eu desconhecia. Se a irmã e o cunhado ainda estivessem vivos, o que era improvável, teriam mais de noventa anos. E os filhos, a "menina" e o "menino", setenta e três e sessenta e nove anos, respectivamente, a contar pelo que eu tinha lido numa carta da mãe de Quain datada de 1943. A "menina", se tivesse se casado, já não teria o nome do pai, o que diminuía em muito as minhas chances de encontrá-la. O sobrinho era o meu alvo mais certeiro, ou seus filhos e netos. Tentei encontrá-los por todos os meios. Em sites genealógicos, em programas de busca de pessoas na internet e finalmente, depois de várias tentativas frustradas, pelo método mais arcaico de todos: enviando cartas para todos os assinantes com o sobrenome Kaiser das listas telefônicas de Chicago, Seattle ou do estado do Oregon, as três pistas sobre o possível paradeiro de Marion Quain Kaiser e sua família que pude apreender ao ler as cartas da mãe a dona Heloísa. Não havia mais nenhum Quain na Dakota do Norte em nenhuma das listas a que tive acesso. Selecionei alguns Quain em Chicago, Seattle e no Oregon também, por via das dúvidas, e lhes mandei a mesma carta. Antes dessa empreitada arcaica, porém, liguei em desespero de causa para uma amiga em Nova York e ela me pôs em contato com uma produtora de televisão reputada por desenterrar o que ninguém mais conseguia descobrir. Tinha um nome exótico. Era filha de indianos que haviam imigrado para o Canadá. Trocamos alguns e-mails e já tínhamos chegado mais ou menos a um acordo sobre o custo e o tempo da pesquisa (como era empregada de uma grande rede de televisão, teria que trabalhar para mim nas horas vagas), quando dois aviões de passageiros, diante dos olhos atônitos de todo o planeta, atingiram e derrubaram as duas torres do World Trade Center. Os jornais diziam que o mundo nunca mais seria o mesmo. O fato é que nunca mais consegui falar com a produtora. Não me restava outra opção ou recurso senão as cartas. Escrevi mais de cento e cinquenta e as enviei para todos os Kaiser e Quain que encontrei na lista telefônica de Chicago, de Portland e arredores, no Oregon, e de Seattle. E por uma infeliz coincidência, toda essa correspondência chegou aos destinatários justamente no momento em que os Estados Unidos entraram em pânico por causa das remessas de antraz em cartas anônimas enviadas pelo correio a personalidades da mídia e da política americana e até mesmo a pacatos cidadãos.

Ainda tentei um último contato com a produtora de TV, inutilmente. Para completar, a rede em que ela trabalhava foi a primeira grande cadeia de mídia a receber uma carta contaminada, aberta justamente por uma produtora, cuja identidade não foi revelada e que agora estava em tratamento. Das mais de cento e cinquenta cartas que mandei, recebi apenas umas vinte respostas, todas por e-mail, algumas mais simpáticas, outras menos, mas todas negando qualquer tipo de parentesco com os Kaiser que eu procurava. Não sei se algum dos indivíduos a quem enviei as minhas cartas chegou a suspeitar de um ato terrorista ao ler o nome desconhecido e exótico do remetente e me denunciou ao FBI. Não sei se algum deles deixou de ler a minha carta por causa disso. Não sei se algum era de fato parente de Quain e simplesmente preferiu me ignorar por razões que eu também desconheço mas posso supor — uma desconfiança em relação aos meus verdadeiros motivos, a determinação de preservar a privacidade familiar ou o mero desinteresse por um caso encerrado havia sessenta e dois anos e que um estranho e duvidoso jornalista da América do Sul tentava reviver. O que eu sei é que, quando começaram a surgir as cartas com a bactéria assassina nas redações das redes de televisão e nos escritórios de deputados e governadores americanos, entendi que não poderia mais recorrer ao correio, como havia pretendido numa segunda fase, para tentar localizar os parentes de Quain também em outros cantos dos Estados Unidos. Estava de mãos atadas. Por uma infeliz sincronia, o terrorismo afastou para sempre a possibilidade de que eu me aproximasse de americanos que não conhecia por razões que agora lhes pareceriam ainda mais suspeitas e inverossímeis.

Foi quando comecei a receber as cartas de volta. Vinte e uma foram sendo devolvidas pouco a pouco. A última chegou de uma forma um tanto inusitada, depois de dois meses e de ter sido "enviada por engano para a Malásia", segundo um carimbo estampado ao lado do endereço do destinatário. Para completar, tinham guilhotinado a parte inferior do envelope com uma cortadeira, como se em algum ponto do percurso alguém tivesse resolvido examinar o que havia no seu interior. Confesso que por um instante, ao averiguar perplexo a carta devolvida, cheguei a cogitar, na minha mente paranoica, a possibilidade de que o corte circular e uniforme na base do envelope tivesse sido feito não para se examinar o conteúdo, mas para se introduzir alguma coisa, e corri para lavar as mãos e assoar o nariz.

Em contrapartida, tudo parecia se afunilar e me conduzir novamente ao filho do fotógrafo, que eu havia deixado temporariamente de lado, depois de não ter recebido nenhuma resposta à minha carta. Por um tempo eu tinha privilegiado as pistas que a antropóloga me dera e que me pareceram de início mais promissoras. Foi só quando esgotei todos os meios de achar o que me faltava — o que chamei de a oitava carta, supondo que pudesse realmente existir, e que daria um sentido a toda a história e mais especificamente ao suicídio, depois de já ter encontrado um vasto material que me aproximava em círculos de Buell Quain, sem nunca de fato decifrá-lo ou me deixar alcançar o centro do seu desespero — que decidi retomar a minha busca pelo filho do fotógrafo, dessa vez pessoalmente. Cheguei a lhe escrever mais uma vez, perguntando se podia visitá-lo. E, dessa vez, apesar de toda a paranoia que reinava nos Estados Unidos, ele me respondeu. E me pareceu muito razoável, embora se recusasse a me receber. Disse que sabia apenas que o pai tinha vindo para o Brasil pouco antes de os Estados Unidos entrarem na Segunda Guerra, sem maiores explicações, e nunca mais dera notícias, pelo que a família havia concluído que se tratava de um ato de loucura ou que houvesse desertado. Só veio a saber do pai quando ele já estava à morte, quando os missionários responsáveis pelo asilo lhe escreveram. Pediam que se ocupasse das questões legais e burocráticas. Nunca tinha ouvido falar de nenhum etnólogo, não fazia a menor ideia de quem podia ser Buell Quain, e portanto não podia ajudar na minha pesquisa. Não tinha nenhum documento que me interessasse. Não tinha mais nada a dizer e pedia que eu não mais o procurasse. Àquela altura dos acontecimentos, depois de meses lidando com papéis de arquivos, livros e anotações de gente que não existia, eu precisava ver um rosto, nem que fosse como antídoto à obsessão sem fundo e sem fim que me impedia de começar a escrever o meu suposto romance (o que eu havia dito a muita gente), que me deixava paralisado, com o medo de que a realidade seria sempre muito mais terrível e surpreendente do que eu podia imaginar e que só se revelaria quando já fosse tarde, com a pesquisa terminada e o livro publicado. Porque agora eu já estava disposto a fazer dela realmente uma ficção. Era o que me restava, à falta de outra coisa. O meu maior pesadelo era imaginar os sobrinhos de Quain aparecendo da noite para o dia, gente que sempre esteve debaixo dos meus olhos sem que eu nunca a tivesse visto, para me entregar de bandeja a solução de toda a história, o motivo real do suicídio, o óbvio que faria do meu livro um artifício risível. O único indício de que a família também desconhecia essas razões era a carta da irmã a Ruth Benedict, um mês depois do suicídio de

157

Quain: "O fato de que nenhum de nós provavelmente jamais conhecerá os fatos torna ainda mais difícil nos desembaraçarmos deles", e ainda assim nada me garantia que também não tivesse as suas razões para esconder a verdade, ou que não tivesse eventualmente descoberto os fatos depois de ter escrito a carta. Eu precisava de um rosto real, de alguém que tivesse alguma relação, ainda que remota, com os personagens da história e que, mesmo sem me revelar nada do que eu já não soubesse, pudesse servir como uma âncora que me impedisse de continuar à deriva naquele limbo, alguém que me acordasse daquele estado difuso, que me tirasse daquele poço de suposições não comprovadas. Na verdade, nada me provava que o velho fotógrafo tivera alguma relação com Buell Quain, ou mesmo que o tivesse conhecido, além do fato de ter falado o nome dele antes de morrer — se é que realmente falou. Ele podia simplesmente ter ouvido falar de Buell Quain e se interessado, como eu, pela história, a ponto de ter vindo ao Brasil para investigá-la, como eu agora ia aos Estados Unidos. Tomei o avião para Nova York com pelo menos uma certeza: a de que, não encontrando mais nada, poderia por fim começar a escrever o romance. No estado de curiosidade mórbida em que eu tinha me enfiado, acreditava que a figura do filho do fotógrafo podia por fim me desencantar.

A ficção começou no dia em que botei os pés nos Estados Unidos. A edição do *The New York Times*, de 19 de fevereiro de 2002, que distribuíram a bordo, anunciava as novas estratégias do Pentágono: disseminar notícias — até mesmo falsas, se preciso — pela mídia internacional; usar todos os meios para "influenciar as audiências estrangeiras". Fazia dez meses que eu não voltava a Nova York. A última vez havia sido cinco meses antes do atentado de 11 de setembro. Não tinha visto a cidade sem as torres. Não podia abordar o filho do fotógrafo de chofre. Já deixara claro que não pretendia me receber. Eu não podia lhe telefonar e dizer que estava na cidade para vê-lo. Era preciso pegá-lo desprevenido. Tinha que ter paciência. E eu estava preparado para isso. Estava disposto a ficar o tempo que fosse necessário. Não podia perder a chance na hora em que ela se manifestasse. Só não podia imaginar é que ela se manifestaria tão depressa e que seria tão fácil. Arquitetei mil planos. Antes de mais nada, precisava reconhecê-lo, e até então eu nunca o tinha visto. Sabia mais ou menos a idade dele, havia nascido antes de o fotógrafo partir para o Brasil, antes da guerra, devia ter no mínimo sessenta e três anos. Logo na primeira tarde, fui até o prédio onde ele morava, que não tinha porteiro. Fiz o reconhecimento do bairro, passeei disfarçadamente pela rua e, depois de muita hesitação, toquei o interfone para me certificar de que ele estava em casa. Pensei em tocar e ficar mudo, nem que fosse só para ouvir a sua voz. Atendeu a voz de um homem, que não parecia especialmente velho, podia ser dele ou não, quem sabe de um filho dele, e foi quando me ocorreu inventar uma história qualquer, que tinha uma encomenda para lhe entregar, por exemplo. Precisava vê-lo, nem que para isso tivesse que fazê-lo descer para em seguida me esconder atrás de um carro. Ficaria a observá-lo do outro lado da rua. Eu não podia perder a oportunidade. Perguntei pelo sr. Schlomo Parsons. Era o próprio. E antes que pudesse dizer qualquer outra coisa, ele abriu a porta e me mandou subir. Fiquei atônito por uns instantes, segurando a porta aberta, sem entender o que estava acontecendo, sem conseguir avançar. Por fim, entrei no prédio e tomei o elevador. Meu coração batia no pescoço. Ao chegar ao sétimo andar, fui até a porta entreaberta no final do corredor, de onde vinha uma luz. Ele ouviu o barulho dos meus passos e gritou lá de dentro que eu podia entrar. Era um apartamento atulhado de objetos e livros, tapetes e móveis. Três janelas altas davam para a rua e as árvores do parque, na diagonal. Um labrador amarelo veio me receber, abanando o rabo. O dono gritou do quarto que precisava da minha ajuda. Era um quarto branco, sem nada nas paredes. No centro havia um grande colchão coberto de lençóis brancos desarrumados, que ocupava quase todo o espaço. Pela janela entrava o sol de fim de tarde. Schlomo Parsons estava sentado num dos cantos do colchão, debruçado sobre uma caixa de papelão esturricada, tentando fechá-la com uma fita adesiva. Sem levantar a cabeça ou olhar para mim, perguntou se eu tinha trazido o carrinho. "Está muito pesado. Você não vai conseguir descer sem o carrinho", ele disse, antes de pedir que o ajudasse com a fita adesiva. "Deixe comigo", eu respondi, tomando a dianteira. Só então ele me olhou, em silêncio. E se levantou. Era um sujeito alto e magro, com o cabelo branco encardido, o rosto anguloso e a pele queimada, marcada de sol, embora estivéssemos em pleno inverno. Agora o labrador estava sentado ao seu lado. Passei a fita em volta da caixa. Reforcei os lados mais frágeis. "Você não é americano, é?" Virei-me para ele. Não tinha os olhos claros e aguados do fotógrafo. Eu não conseguia decidir a melhor tática. Podia bancar o agressivo, o espirituoso, rebater a pergunta com uma piada se ao menos tivesse a presença de espírito para isso, a única coisa que eu não podia era ser honesto. Não podia dizer quem eu era, nem de onde vinha. "Você vem de onde?" E aí, sem ter tempo de pensar, como se alguém tivesse se adiantado e falasse por mim, em vez de mentir, eu disse a verdade. E ele arregalou os olhos: "Brasil?". Eu confirmei com a cabeça, já um pouco arrependido. Não sabia o que tinha dado em mim. Achei que tinha posto tudo a perder. Continuei lacrando a caixa. Passados uns segundos de silêncio, que a mim pareceram minutos, ele finalmente arrematou: "Parece brincadeira!". Havia ficado perplexo. "Brasil! Esse país me persegue." Sorri, me fazendo de desentendido. Perguntei o que ele queria dizer com aquilo e se conhecia o Brasil. "Conheço. Infelizmente", retrucou. Em outra ocasião, eu teria desistido se me dissessem uma frase daquelas, mas agora sabia que estava no caminho certo. Perguntei se tinha ido ao Brasil a negócios. Ele me encarou com os olhos arregalados e sarcásticos. Deve ter ficado surpreso com a minha insistência. "Negócios? Essa é boa!" Eu estava determinado. Afinal tinha conseguido entrar, sem ser convidado, na casa do homem que eu procurava fazia meses e falar com ele ainda na minha primeira tarde na cidade. Perguntou por que eu viera morar em Nova York, e enquanto eu inventava uma resposta longa, com pausas para fazer reforços na caixa, simulando uma habilidade profissional que obviamente não tinha, percebi que ele era um sujeito sozinho e estava de fato interessado no que eu pudesse dizer. As palavras dali em diante não teriam nenhuma importância. Eu podia dizer o que quisesse, podia não fazer o menor sentido, só não podia dizer a verdade. Só a verdade poria tudo a perder. Em cinco minutos, ele já tinha me contado um monte de coisas sobre o que pusera naquela caixa, traquitanas que devolvia a um velho amigo que havia se mudado para Chicago. Deu a entender que viveram juntos. Acho que estava me testando. Lá pelas tantas, me estendeu a mão, se apresentou (como se eu não soubesse) e perguntou o meu nome. Inventei um. Desde que havia escrito a primeira carta ao filho do fotógrafo, fazia mais de nove meses, aquele nome tinha ficado na minha cabeça. Havia uma incongruência. Soava errado, se é possível um nome soar errado. Schlomo é um típico nome judeu, e o sobrenome Parsons, até onde eu sabia, não tinha nada de judeu. Ele riu e me explicou: "É a minha vida. Parece que a minha mãe tinha uma queda por judeus. De qualquer forma, não a conheci. Morreu uns meses depois do meu nascimento. Acho que a família dela era judia, imigrantes ucranianos. Mas também não tenho certeza. Não os conheci. Fui criado pelos meus avós paternos". Aos poucos, a história começava a se descortinar à minha frente. Disse que tinha cinquenta e sete anos, mas eu sabia que não era possível, tinha nascido antes da guerra, devia ter sessenta e três ou mais. Mentia a idade. Pela aparência, não dava para dizer que estivesse mentindo. Era até verossímil. Tinha uma presença forte e o rosto bem desenhado. Devia ter sido um homem bonito. Falou dos velhos em geral. Deve ter notado o meu constrangimento, tanto que resolveu me provocar. Me disse que tudo era relativo. Contou que ele próprio, ao sair de casa aos dezessete anos, tinha ido viver com um homem mais velho, que na época devia ter a idade que eu tinha agora. Perguntou a minha idade. Fez-se de espantado. Disse que eu aparentava bem menos. O homem mais velho com quem ele tinha ido viver aos dezessete anos era bem mais novo na época do que eu agora. Tudo é relativo. Acabei de fechar a caixa, e ele me ajudou a levá-la até a porta. Antes que eu saísse, me convidou para tomar um café. Eu o segui até a cozinha. Enquanto lavava as mãos na pia, por um instante ele fechou os olhos para se proteger da luz que entrava pelas janelas, e o mais estranho foi que, pela primeira vez, ao vê-lo de olhos fechados contra a luz do sol de inverno, tive uma espécie de alucinação. De um certo ângulo, achei que ele se parecia com Buell Quain numa das fotos que a mãe tinha enviado a dona Heloísa, o mesmo retrato que o etnólogo dera a Maria Júlia Pourchet com uma dedicatória no verso. Ele abaixou a persiana e sorriu para mim. Perguntou que cara era aquela, eu parecia ter visto um fantasma. Eu não sabia mais o que fazer. Ao mesmo tempo que queria desaparecer dali, não podia ir embora sem acabar o que tinha ido fazer. Precisava prolongar a minha permanência — que para mim já era insustentável — mesmo se não fazia o menor sentido permanecer naquele apartamento.

Ao notar o meu incômodo, enquanto eu estava sentado à mesa da cozinha, ele disse que havia uma coisa que podia me interessar, já que eu era brasileiro. Foi até a sala e voltou com uma pasta, que abriu em cima da mesa. Havia um monte de fotos do

Brasil nos anos 50 e 60: balsas num rio que podia ser o Tocantins; blocos do Carnaval carioca; a festa de Iemanjá em Salvador; o casario de São Luís; uma panorâmica do Rio de Janeiro visto do Pão-de-Açúcar quando ainda não havia o Aterro; os indefectíveis pilotis do prédio do Ministério da Educação e Saúde no centro da cidade; o edifício Itália e o Copan, em São Paulo etc. Ele me mostrou os retratos de alguns índios. Pareciam Krahô, mas podiam ser de qualquer outra tribo. "Meu pai era fotógrafo. Passou a vida no Brasil. São índios brasileiros. Você não os reconhece?" Eu não podia me indispor com ele, não sabia se estava sendo irônico, mas o fato é que havia um tom paternalista na sua conversa. Preferi ignorar as provocações. Examinei as fotos, ao mesmo tempo que tentava refrear a minha curiosidade. Não podia deixar transparecer o meu interesse. Senti que ele precisava falar e me esforcei para colaborar.

"Seu pai viveu no Brasil?", perguntei, enquanto examinava as fotos.

"É uma longa história. Na verdade, não o conheci. Ele nos abandonou logo depois da morte da minha mãe."

"*Nos* abandonou?"

"Fui criado pelos meus avós. Pelos pais dele. Não gostavam da minha mãe e por tabela também não gostavam de mim. Fui imposto a eles."

"Por que o seu pai foi para o Brasil?"

"Ninguém nunca soube direito. Meus avós nunca quiseram falar no assunto. Ele trabalhava para um jornal. Pode ter ido fazer uma reportagem. Como desapareceu às vésperas da guerra e nunca mais voltou, corria a história de que tinha desertado, que tinha decidido não voltar quando a guerra estourou. Minha mãe morreu menos de um ano depois de eu nascer. Teve uma leucemia galopante, uma doença muito rara. Foi o que me disseram. Também não a conheci. Meu pai foi embora logo depois", ele disse. E aí foi até a sala e voltou com um retrato. "Veja. Aqui está ela. É a única foto que eu tenho." Era uma mulher magra, com olheiras, o rosto fino, muito maquiado, e o cabelo preso. Não era especialmente bonita. O nariz era pontudo. Tinha um olho para cada lado e um ar estranho, que eu não consegui definir. Uma expressão triste. Ele prosseguiu: "Meu pai me entregou aos pais dele e desapareceu. Sempre odiei os meus avós. Quando fiz dezessete anos, meu avô me chamou e disse que eu tinha que saber algumas verdades. Minha avó era muito passiva. Ficava sempre à sombra dele, ouvindo o que o marido dizia. Meu avô estava com um papel na mão. Nunca entendi se tinham esperado até aquele dia para me revelar o que sempre souberam ou se também tinham sido pegos de surpresa, como eu. Meu avô chamou minha mãe de puta, disse que ela sempre tinha sido uma vadia, que eu não era filho do meu pai e que, portanto, não havia nenhuma razão para continuar vivendo com eles. Eu era o filho da puta. Podia esperar qualquer coisa deles, mas nunca teria pensado numa história daquelas. Não achei que fossem capazes de me expulsar. Ele estava com muita raiva, transtornado e trêmulo. Também fiquei sem palavras. Me estendeu o papel. Era uma carta do meu pai, a primeira que ele mandava em dezessete anos. Estava endereçada a mim, mas eles a tinham aberto e lido. Não havia envelope nem data. Achei que pudessem ter forjado a carta. Eu não conhecia a letra do meu pai. Queriam se ver livres de mim e sabiam qual seria a minha reação. Fui embora daquela casa para sempre. Nunca mais os vi. Na carta, o meu pai dizia que não era meu pai e me pedia desculpas. Achava que agora eu já era um homenzinho e precisava saber das coisas. Dizia que eu não tinha sido abandonado por ele, que o meu pai de verdade tinha morrido no coração do Brasil, quando tentava voltar para me conhecer. Nunca entendi o que queria dizer exatamente com aquilo. Falava como se fosse duas pessoas. Falava de si mesmo como se fosse um outro". O filho do fotógrafo falava enquanto preparava o café. Eu já não conseguia olhar para as fotos que tinha nas mãos. Não podia acreditar no que estava ouvindo. Não são só os índios que dizem o que você quer ouvir, achando que assim podem agradá-lo, como se não houvesse realidade. Ele continuou: "Minha tese é que ele enlouqueceu com a morte da minha mãe e foi embora para o Brasil. Aquilo era uma forma de dizer que não podia mais me ver. Quando dizia que o meu pai tinha morrido, era uma forma desesperada de me pedir para esquecê-lo, de se livrar de toda responsabilidade".

Sem que eu pudesse me controlar, deixei escapar um murmúrio: "Não".

"O quê?", ele se virou para mim, segurando a cafeteira.

"Não, nada", eu disse, desviando os meus olhos vidrados daquele rosto em que por um instante eu cheguei a ver o de Buell Quain mas que agora já não tinha nada a ver com o do etnólogo. Eu fingia que estava interessado nas fotos dos índios. Ele prosseguiu com a história da sua vida, mas eu já não queria saber que, depois de sair de casa, ele tinha ido viver com um homem mais velho que encontrara numa leitura de poemas beatnik num bar do Village; não queria saber que passou a acompanhar esse poeta em todos os encontros, exposições e galerias, em todos os bares e em todos os estúdios de artistas em que se reuniam para declamar poemas; não queria saber o nome do poeta que ele chamava só de Frank; já não queria saber de nada da vida dele. Ele recitou um poema: "Daqui em diante vou andar do lado do sol... Estou virando a rua...", enquanto servia o café.

"Você acha a minha história triste?"

"Não, não é isso", respondi com as fotografias nas mãos.

"O que você acha das fotos?"

"Como assim?"

Ele ficou irritado: "São boas ou não são?".

"São ótimas. É incrível..."

"Espere aí. Se você não gostou dessas, tenho outras mais interessantes. Já volto", ele disse, impaciente, enquanto punha um prato de torradas na mesa. O labrador, que estava sentado aos meus pés, saiu atrás do dono. O filho do fotógrafo voltou com outra pasta. "Veja só que incrível. Dizia que não era meu pai, mas para infelicidade dele a genética não deixa dúvidas."

A pasta estava cheia de fotos de homens nus, brancos e negros, ao ar livre, numa praia ou em estúdio. Havia umas poucas no Brasil, mas a maioria tinha sido tirada nos Estados Unidos. E entre essas não estavam os dois retratos amarelados de Buell Quain, de frente e de perfil, que eu tinha visto nos arquivos de Heloísa Alberto Torres. Não havia nada que provasse uma ligação entre Quain e o fotógrafo.

"Tal pai, tal filho", ele disse, e riu. "No fundo, ele gostava mesmo era de fazer fotos de homens pelados. Na carta que me mandou quando fiz dezessete anos, ele falava do Brasil como uma 'terra desgraçada'. Se era tão desgraçada, por que tinha ido parar lá? Por que ficou? Nunca mais ouvi falar dele. Não sabia como encontrá-lo. Não tinha nenhum endereço. Não podia pedir aos meus avós. Eu era um rapaz orgulhoso e revoltado. Preferi esquecê-lo. Só o vi quando já estava morto."

Eu não dizia mais nada. Ele se sentou à minha frente. Fazia barulhos infantis ao tomar o café. Em vez de goles normais, ele aspirava o café da xícara. Comia de boca aberta e falava de boca cheia. De vez em quando dava um pedaço de torrada para o cachorro. "E você? Até agora só eu falei de mim..."

"Eu nada."

Para minha sorte, quando desci com a caixa, o homem da companhia de transportes estava chegando com o carrinho para pegar a encomenda. Antes que ele pudesse tocar o interfone, eu lhe abri a porta e entreguei a caixa do sr. Parsons.

Resolvi adiantar a minha volta para o dia seguinte. Queria ir embora no primeiro avião. Não tinha mais o que fazer ali. A realidade é o que se compartilha. Os vôos para o Brasil costumam ser noturnos. O meu saía às dez da noite. Cheguei cedo ao aeroporto e fui um dos primeiros a entrar no avião. Faltavam dez minutos para a decolagem quando um rapaz ruivo, muito alto e magro, entrou esbaforido, a mochila esbarrando pelos encostos das poltronas, conforme avançava para o fundo do avião. Acomodou sua mochila no compartimento de bagagens acima da minha poltrona e pediu licença para sentar ao meu lado, na janela. Tinha o cabelo cacheado, o nariz adunco e um olhar simpático, embora fosse muito feio. O avião decolou às dez em ponto. Voamos mais de seis horas sem nos dirigirmos a palavra. Eu não conseguia dormir. O rapaz ao meu lado também não. Lia um livro. Era dele a única luz acesa entre as de todos os passageiros. Estavam todos dormindo. Eu não conseguia ler nada. Liguei o vídeo no encosto da poltrona à minha frente. Por coincidência, sobrevoávamos a região onde Quain havia se matado. Foi quando o rapaz, pela primeira vez, fez uma pausa e me perguntou se estava me incomodando com a luz de leitura. Respondi que não, de qualquer jeito não conseguia dormir em aviões. Ele sorriu e disse que com ele era a mesma coisa. Estava muito excitado com a viagem para poder dormir. Era a sua primeira vez na América do Sul. Perguntei se vinha a turismo. Ele sorriu de novo e respondeu orgulhoso e entusiasmado: "Vou estudar os índios do Brasil". Não consegui dizer mais nada. E, diante do meu silêncio e da minha perplexidade, ele voltou ao livro que tinha acabado de fechar, retomando a leitura. Nessa hora, me lembrei sem mais nem menos de ter visto uma vez, num desses programas de televisão sobre as antigas civilizações, que os Nazca do deserto do Peru cortavam as línguas dos mortos e as amarravam num saquinho para que nunca mais atormentassem os vivos. Virei para o outro lado e, contrariando a minha natureza, tentei dormir, nem que fosse só para calar os mortos.

Agradecimentos

Este é um livro de ficção, embora esteja baseado em fatos, experiências e pessoas reais. É uma combinação de memória e imaginação — como todo romance, em maior ou menor grau, de forma mais ou menos direta. Ao longo da pesquisa que o precedeu, contei com o auxílio de várias pessoas, a começar por Mariza Corrêa. Sem ela, provavelmente eu nunca teria sabido da existência de Buell Quain e este livro não existiria. Agradeço em especial a colaboração inestimável de Maria Elisa Ladeira e Gilberto Azanha, do Centro de Trabalho Indigenista, em São Paulo, que me levaram aos Krahô, e dos Krahô que me receberam. Tive a felicidade de poder contar ainda com a contribuição e o apoio do professor Luiz de Castro Faria; do professor Antonio Carlos de Souza Lima e de Flávio Leal, da Biblioteca do Museu Nacional, no Rio de Janeiro; dos funcionários da Casa de Cultura Heloísa Alberto Torres, em Itaboraí; de Sally Cole, da Universidade de Concordia, em Montreal; de James Davis, dos Arquivos da Historical Society of North Dakota; da professora Margarida Moura, da Universidade de São Paulo; de Sally Kuisel, dos National Archives, em Washington; de Ernest Emrich, da Biblioteca do Congresso, em Washington; de Ronald Patkus, dos Arquivos de Vassar College, em Nova York; de Ricardo Arnt, e do professor Julio Cezar Melatti. Nenhuma dessas pessoas tem responsabilidade pelo conteúdo ou pelo resultado final da obra.

Créditos das fotos

página 26: Buell Quain, acervo da Casa de Cultura Heloísa Alberto Torres — IPHAN

página 31: Buell Quain com Lévi-Strauss e Heloísa Alberto Torres, entre outros, no jardim do Museu Nacional, acervo da Seção de Arquivos do Museu Nacional/UFRJ

1ª EDIÇÃO [2002] 9 reimpressões

ESTA OBRA FOI COMPOSTA EM ELECTRA PELA SPRESS E IMPRESSA
PELA GRÁFICA SANTA MARTA EM OFSETE SOBRE PAPEL PÓLEN BOLD
DA SUZANO S.A. PARA A EDITORA SCHWARCZ EM ABRIL DE 2021

A marca FSC® é a garantia de que a madeira utilizada na fabricação do
papel deste livro provém de florestas que foram gerenciadas de maneira
ambientalmente correta, socialmente justa e economicamente viável,
além de outras fontes de origem controlada.